Ecritures arabes
Collection dirigée par Marc Gontard

Ecritures arabes
Collection dirigée par Marc Gontard

Collection *Ecritures arabes*

(à suivre p. 4)

Sakinna BOUKHEDENNA

Journal
"NATIONALITÉ : IMMIGRÉ(E)"

Editions L'Harmattan
5-7, rue de l'Ecole-Polytechnique
75005 Paris

© L'Harmattan, 1987
ISBN : 2-85802-849-4
ISSN : 0757-1429

Journal

J'ai écrit ce journal à la mémoire de tout jeune immigré (e) qui rentre dans sa terre arabe et qui découvre soudain le sens amer de l'exil. Toutes ces jeunes femmes immigrées, tous ces jeunes hommes immigrés qui grâce au mensonge et à l'illusion du retour, et aussi, grâce à l'esprit colonialiste qui règne à l'Ecole française, sont devenus les :

NATIONALITÉ : IMMIGRÉ (E)

Le passé de nos parents, c'est notre présent, et notre présent de deuxième génération sans nationalité a-t-il un futur ?

C'est en France que j'ai appris à être Arabe,
C'est en Algérie que j'ai appris à être l'Immigrée.

Sakinna, novembre 1985

4 juillet 1979

Je m'ennuie, j'en ai marre de voir le temps passer. Je voudrais mieux vivre, être bien dans ma peau. D'ailleurs je ne sais pas pourquoi je suis si mal en moi. J'en ai assez d'essayer de me faire comprendre. Je sais que ça ne marche pas. Pourquoi faut-il toujours faire semblant aux gens qui s'en foutent de ce que je raconte. C'est un jeu très dur, moi je ne tiens plus le coup. J'en ai ma claque. J'ai vingt ans, y en a qui disent que c'est le bel âge.

Je suis instable à tous les niveaux. J'écarte le boulot. Je ne sais plus où je suis et où je vais. Je veux me contrôler, me dominer toute seule, mais je n'arrive pas. J'ai vingt ans.

J'ai fini mon stage depuis fin avril, j'avais l'impression que tout allait bien, début mai, je me suis rendu compte de mon erreur. C'est une belle tromperie, le chômage masqué. Le travail m'a bouffé huit heures pour les patrons. Plus rien à foutre, maintenant je comprends à vingt ans, et je ne veux plus bosser. J'ai eu la flemme de m'inscrire à l'ANPE, les papiers à remplir c'est trop chiant à faire. Je me suis offert des vacances et je suis rentrée à Mulhouse, ville dans laquelle vit ma famille. Le soir même, j'ai appris qu'il y avait le groupe Téléphone. J'y suis allée avec mes sœurs. Je me souviens qu'on a picolé avec Fatiha, et Sabine. Qu'est-ce qu'on a rigolé, et pas d'argent ! On a arraché les demis aux babas cool, on savait qu'ils avaient peur de nous, nous avons profité de cette occase. Y avait les copains, Jean-François, Pierre-Yves, et les copines : Malou, Bebelle, quel pied ! J'étais toujours avec Fatiha et Sabine. J'aimais

7

beaucoup la présence si chouette de Jean-François et de Malou et de Dominique. Le public était super-speedy et je crois que Téléphone était comme des glaçons. C'est l'impression que j'ai tirée de ce groupe. Ils avaient pas la pêche mais le groupe était pas mal. J'étais tellement bourrée, je dansais, je m'éclatais avec Fatiha et Sabine. On se foutait de la gueule de tous les gens qui nous revenaient pas, on les provoquait. Quelle rigolade à nous trois.

On est rentré de Strasbourg à Mulhouse. Et je me suis rendu compte à la fin du concert que je n'avais plus mes papiers de ressortissant algérien. Oh ! la merde. Je les avais emmenés, car au concert il y a risque de contrôle d'identité. Je les ai perdus. Ah ! ma carte de séjour. C'est à des moments comme ça que je me rappelle que je suis étrangère dans c'pays, même si je suis née dans ce bled pourri. Que faire ? Qu'est-ce qui m'arrive là. Et comment chercher du boulot sans ce papier bleu de merde.

Je suis restée environ trois semaines à Mulhouse et je n'ai pas regretté. Avec Sabine et Fatiha, je sentais mon existence simple, sans problème. On allait tous les jours à l'Ours, le café où l'on se retrouvait avec tous les autres. Yamina, Bebelle, Zaikia, son petit Gaël, Viviane, etc. On faisait rien, on était là pendant des heures à fumer des blondes, à rigoler, et à rien dire souvent. Mais on aimait bien être tous ensemble comme ça.

Vers vingt heures, Bebelle, Yamina, Fatiha et Viviane plus moi, on changeait de café. On allait au Scotch Bar pour boire du lait fraise, parce que ça coûtait pas trop cher. On foutait de la musique, les Rolling Stones, pour Yamina, Téléphone pour toutes, Higelin : « Pars » pour Bebelle et moi, je me mettais du Reggae. On fumait des cigarettes et on attendait que l'heure passe. Le soir chacune allait dans son coin pour regarder la télévision sinon pour attendre le lendemain.

8

Je n'habitais plus Mulhouse. Je vivotais à Dijon. Et pourtant je préférais nettement la mentalité des gens de Mulhouse à celle des Dijonnais. J'avais quitté Mulhouse sur un coup de tête. Je cafardais dans tous les sens, je voulais changer d'air. J'avais une amie, Marianne, à Dijon. J'ai voulu la retrouver, alors j'ai pris mon sac, direction Mairie. Je leur ai demandé un bon pour prendre le train. Je quittais le foyer familial pour de bon. J'ai fait les vendanges trois semaines, ça m'a dégoûtée, je n'aimais pas les gens qui étaient là, ils n'étaient pas à mon goût. La bouffe était délicieuse et le travail harassant. J'avais besoin du fric pour payer une pension là où j'habitais. Et puis je m'en fiche. C'est du putain de passé.

Maintenant j'ai fini tout ça, l'école, le CET, le boulot. Je ne sais plus quoi faire, pourtant je ne demande qu'à vivre.

J'aime la musique, je rêve d'en pratiquer. Dans ma tête, dans mes illusions, je possède la musique, je la ressens dans mes tripes, la musique c'est moi tout entière.

A Dijon quand je pense à Fatiha et Sabine, je suis certaine qu'on pourrait faire quelque chose, je suis sûre, je ne veux pas rêver. Cela ne sert à rien. Je pense, je pense, je ne fous plus rien, rien, rien. J'ai quitté Mulhouse en pensant trouver autre chose. Mais rien. Vois-tu, cher je ne sais qui, je me suis trompée. Je m'ennuie, je m'ennuie de m'ennuyer. J'ai laissé la ville ouvrière et je me retrouve dans la solitude dijonnaise. J'ai connu des femmes, des hommes, rien de tout cela ne m'a intéressée.

Ah ! Mulhouse, souvenir d'une enfance qui disparaît peu à peu dans les nuages de Dijon.

Ah ! que j'aimais cette vie de folle que l'on menait à nous toutes. On était des femmes dès notre adolescence, et on était très coriaces. On ne craignait pas les gens quel que soit leur sexe, on avait du culot et c'est cela qui nous mûrissait.

Le soir, si on ne savait pas quoi faire, on arrêtait un type dans la rue, qui avait l'air d'un « nase », on le conduisait plus loin et on le forçait à nous donner son fric. Ça ne marchait pas souvent ce moyen, mais on tentait le coup. Nous rigolions et on était toutes fières de nos conneries. Avant de quitter l'imbécile sur qui on tombait, soit on lui crachait, soit on lui tapait d'ssus. On passait le temps...

Rue du Sauvage : il pleuvait, on n'avait pas de fric pour aller au café, alors on allait faire les magasins de la ville. On piquait des vêtements, surtout Fatiha, des bonbons, des gâteaux. Pour nous, ce n'était pas voler, on se vengeait de la société de consommation trop chère, et voler était aussi une occupation quotidienne. On n'avait pas d'boulot. Moi, j'avais la trouille, mais avec les autres, je ne craignais plus rien. Voler par désir, devenait un geste d'inconscience pour certains, mais pour nous toutes, l'essentiel était d'avoir.

Le vendredi soir on allait au Pax, on faisait la manche pour payer le film. Les intellectuels véreux de gauche se fichaient de nous. Pour eux, on était des gamines naïves, non instruites. C'est normal, leur mode de vie paisible les empêchait de voir ce qui se passe derrière leur nombril. Nous étions furieuses, toutes les trois, Viviane, Zaikia et moi. Nous nous intéressions aux films politiques, sociaux, etc., donc nous considérions que nous avions le droit de voir des films même si nous n'avions pas le fric.

Pour les concerts, c'était le même tarif, on arrivait deux heures avant que le groupe commence, on faisait la manche, ça coûtait 45 F, nous qui n'avions pas de boulot pour pondre 45 F, nous nous débrouillions de la sorte. Quand la première atteignait 45 F, elle aidait les autres. Nous n'écartions jamais la solidarité, nous étions dans la même merde. Et quand l'une se démerdait, elle aidait les autres à se démerder.

On avait connu une bande de mecs. Ah ! ce

sacré 42. La fumerie de Mulhouse où l'on se rencontrait pour rouler les joints. Y avait des dealers, et des vendeurs, sans oublier les acheteurs. Nous, les filles on fumait, on draguait, et on écoutait de la musique dans un état pas possible. Je passais ma crise d'amourette, j'aimais un mec de cette bande. Il s'appelait Jeff.

Il fut un temps où tout claqua. La police débarqua, embarqua des copains. Les flics, ils avaient cassé l'amitié en nous séparant. Le sourire sadique à la bouche, ils conduisaient au poste de police certains connus par leurs fichiers. Les mecs du 42 vivaient du vol. Le soir ils allaient faire des casses, il raflaient de la nourriture pour vivre. Ils piquaient le lait devant les épiceries à cinq heures du mat.

Je me rappelle, près de la glace, il y avait un poster de Marilyn Monroe. Ses grands yeux bleus qu'elle portait si bien me fascinaient. Pourtant c'est au 42 que j'ai appris ce que signifiait : mysoginie, phallocratie. En observant les attitudes de ces mecs, je compris à quel point nous n'étions que des traînées à leurs yeux.

Il y avait Nora, Yasmina et d'autres filles de quatorze à quinze ans. Elles se faisaient sauter par ces types, puis ils leur disaient de se casser. Je me taisais, mais à l'intérieur de moi, le germe du dégoût fleurissait. Dans cette bande j'ai aimé un junk. Il me plaisait, il avait des gros cheveux blonds et des longs yeux. Il était très pâle tellement il fumait du H. Il aimait sa shooteuse, son joint, la musique cool et moi en dernier. C'était le baba cool typique. Ses parents étaient riches. Ils l'avaient foutu à la porte. Ce mec déconnait à mort. Il était un fils de bourgeois perdu dans la drogue.

Nous étions tous partis à Colmar voir un festival rock. Il y avait docteur Feelgood, Nico, et Gong. Les autres groupes je ne sais plus. Moi je m'en fichais du rock. J'y suis allée pour ce mec que j'aimais follement. Mais, lui, il s'en foutait de moi, son but était de baiser les nanas et de leur dire : « Casse-toi ». Je ne faisais même pas attention. J'acceptais docilement par amour, que ce mec méprise qui bon lui semble, pourvu qu'il reste avec moi. Je passais ma crise d'amourette. Je ne possédais que quinze années de ma petite vie. J'étais dans un coin à le regarder fumer comme un fou avec les autres. Ils fumaient, ils étaient défoncés à mort. J'étais lucide et je pleurais comme une idiote. Je n'avais que quinze années sur mon dos.

Pour entrer au concert, Fatiha et moi, on n'avait pas un rond et on ne pouvait pas passer à l'œil à cause du service d'ordre, des balaises trop bien organisés, CACEPE. Au bout d'une heure, on a trouvé le moyen idéal pour voir gratis le festival. On a pris une échelle, on a grimpé sur le toit, ça n'a pas marché. Alors on a ramassé des tickets par terre. Je me rappelle très bien. Des flics sont arrivés vers nous. Ils nous ont demandé ce que nous faisions ici. On a fait semblant qu'on était déjà à l'intérieur du chapiteau, mais qu'on ne se rappelait plus où était l'entrée. Et tout ça sur un ton de petite dragueuse. Ça les a réconfortés. On les a bien eus, ils nous ont ouvert une autre entrée sans demander les tickets. On a bien rigolé Fatiha et moi.

Quand nous sommes rentrées à Mulhouse, les quatre sœurs, à la maison, ce fut la cogne. A cette époque, notre père était très sévère. Nous sommes des femmes arabes algériennes. Nous devons donc nous plier au système du père. Il ne voulait pas qu'on sorte. Mais, nous, nous nous sommes révoltées contre toutes ces traditions que nous devions subir. Plus on se faisait tabasser et plus on sortait. Nous étions très solidaires pour cela. C'était une lutte très dure à mener. Nous n'avions pas de choix. Ou c'était l'école, le ménage, la vaisselle, maison, et pas de coups, pas de problèmes, ou bien c'était l'opposé. C'est-à-dire le combat, la bagarre. Nous nous étions complètement transformées. Nous sommes devenues des femmes de plus en plus dures. Nous refusions catégoriquement le système du père qui voulait nous soumettre à un régime limité à la maison.

Un jour, nous en avons eu vraiment marre. Alors nous avons décidé, les trois sœurs et notre meilleure amie, Viviane, de fuguer. On décida pour Viviane. On alla chez son père. Nous lui avons raconté des vannes pour qu'il laisse Viviane nous accompagner. Nous lui racontâmes que nous allions dans une grande maison où il y avait tout. Une piscine, des fauteuils rouges, etc. Tout naïf, il accepta. Nous sommes parties le lendemain matin, très tôt pour Strasbourg, en stop. Ça marchait pas bien à quatre. Un homme nous prit et voulut nous conduire à la police. Alors, on lui a dit de nous descendre, parce que nous avions eu la trouille.

Arrivées à Strasbourg, on rencontra un Martiniquais qui accepta de nous loger. Chez lui, c'était le gros bordel. Il nous demanda de lui faire la cuisine. Le soir même, il amena une bande de copains à lui, et il nous demanda de baiser. Zaiki s'est foutue sous la table avec moi. Il ne comprenait pas que nous refusions la baise.

Il proposa à Viviane de dormir à ses côtés. Naïve, elle monta dans son lit et puis s'endormit. Le type qui avait des p'tites envies, se mit à l'emmerder. Toute la nuit, lui et ses copains nous emmerdèrent, histoire de tirer un coup. Le lendemain, fallait lui laver le linge, faire la popotte, ne pas sortir, le type commença à jouer au chef. Il nous confisqua les papiers d'identité. J'avais un papier bleu qu'il fallait renouveler tous les quinze au commissariat. Il nous fit du chantage : « Soit vous restez à la maison, soit vous sortez, mais vous ne rentrez plus ».

Un soir, nous en avions eu ras le bol de ses attitudes de commandant. Nous prîmes nos papiers et nous sommes sorties pour voir ce qui se passe à Strasbourg. Vers la cathédrale, des mecs jouaient de la gratte. Les touristes leur lançaient de la monnaie, j'aimais l'ambiance qui régnait.

La semaine se termina très mal. Mon père et le père de Viviane étaient devant nos yeux. Ils nous coincèrent et nous conduisirent au commissariat de police. Nous avons eu droit aux baffes, aux insultes, nous étions des moins que rien. Les flics incitaient nos parents à nous battre. Ça les faisait rire, ils se foutaient de nos pères. Le père de Viviane m'accusa de tout parce que j'étais sa copine. Il faut toujours que les responsables soient ailleurs que dans la famille. De retour à Mulhouse, nous avons eu droit à l'interdit total. Toute notre liberté était interdite. Plus de sortie, de piscine, etc. Nous avions un droit : celui de la fermer et d'obéir. J'avais la certitude que nous étions non dans un foyer familial, mais dans une taule. A l'intérieur de moi, je me disais qu'une deuxième fugue nous ferait du bien, je voulais me venger. Je désirais leur montrer que leur interdiction, leur sévérité ne servaient à rien. Au contraire, elles ne feraient qu'empirer la situation.

Nous avions fait la connaissance d'une femme, Anne. C'était une femme qui aimait se battre pour la cause des femmes, et des révolutionnaires. Elle était pourtant issue d'une famille où le père était militaire. Elle habitait chez Isabelle, une autre copine que l'on aimait aussi. On leur racontait notre vie de famille, nos problèmes de femmes à la baraque. Je pense qu'elles nous comprenaient. Le jour du ras le cul arriva. Nous repartions en fugue et elles acceptèrent de nous loger un soir.

Le lendemain il fallait se lever tôt parce qu'Isabelle travaillait à DMC, l'usine. La peur dans le ventre, nous hésitions à rentrer chez nous. Anne nous accompagna avec une autre fille dont je ne me souviens plus le prénom. Je sais qu'elle fréquentait la librairie du « Klap » à l'époque.

Dans la cuisine, l'interrogatoire commença. Notre

14

père nous questionna, il voulait savoir d'où l'on venait. On ne savait pas quoi répondre. Et à quoi bon ? Il nous demanda si l'on voulait partir dans un foyer. Nous avions peur de dire oui, par crainte de voir le pire. Tout cela s'arrangea sans paroles, chacune rejoignit son lit, et le lendemain nous étions un peu soulagées de ne point avoir payé par les baffes. Je quittai la CCPN, classe de transition où l'on nous refoulait, humiliait, pour entrer au CET. L'avenir se préparait mal pour moi. Je ne pus choisir le métier que je désirais, on m'avait déjà classée.

Le premier jour de la rentrée, je me retrouvais déjà nez à nez avec le directeur. J'avais déconné en permanence avec Viviane, notre amie d'enfance. On avait emmerdé les élèves qui faisaient du rangement de cahiers, classeurs et tout le reste. En compagnie de Violette Hernandez, j'enlevais les chaussettes de Viviane. Elle hurlait comme s'il s'agissait d'un viol, le directeur entra dans la salle et nous prit en plein délit. Je ne voulais pas dénoncer, et je niais avoir déconné. Je faisais l'innocente, et ceci l'énervait encore plus. Il fit convoquer nos parents pour cette histoire stupide. Je trouvais son attitude lâche. Il savait que je me ferais rosser, mais il voulait me faire chier. Je déchirais les convocations qu'il envoyait, et en fin de compte, il laissa tomber. C'est une petite histoire, mais le directeur était perdant.

Au CET, la tenue physique faisait partie des jugements que les profs et la direction portaient sur les élèves. J'avais une chevelure très épaisse, un afro, et je mettais des jeans, des chemises longues. Je faisais tout pour déplaire à ces putains de merde qu'ils étaient en majorité. Je me fis des ennemis à cause de ça, pas mal d'élèves me rejetaient, je m'en fichais parce que je répondais à la balle, tous ceux qui m'emmerdaient, je les emmerdais encore plus.

Je m'intéressais beaucoup à la littérature, à la politique, c'était plus enrichissant pour moi, que faire des devoirs bêtes pour des cons. Oui, des devoirs et non des désirs, des devoirs qu'on devait exécuter pour eux et non pour notre culture. Tous les matins, il fallait présenter le travail qu'on nous avait obligé de faire. Moi, je me foutais éperdument de ça, je foutais rien. Sauf en français et en dessin. J'aimais le dessin car je faisais ce que mes sentiments désiraient, j'aimais le français quand les sujets étaient intéressants. Je dessinais ce qui me passait par les tripes. J'aimais beaucoup le bleu et le jaune. J'aimais le brun car il me rappelait que j'étais pas Française.

Je détestais la majeure partie de ceux qu'ils appelaient professeurs. Parce que leur but était non de nous apprendre mais de nous inculquer des trucs absurdes dans tous les sens. Quand on abordait un sujet politique, ils l'apolitisaient. Ma prof me haïssait car j'avais une conscience politique de la vie de cette société pourrie jusqu'à la moelle. J'étais objective et je dénonçais tout ce qu'elle nous crachait de faux. Se croyant intelligente et plus instruite que nous autres, cette prof de français se permettait de mentir. Elle était persuadée qu'elle seule savait. C'était pareil avec une autre, celle d'économie et CEEJ. Elle nous obligeait à acheter le *Figaro,* journal de droite, donc faux. Tous les lundis il fallait le poser sur la table pour bien montrer à Madame que nous étions fidèles à ses obligations. J'en avais ras le cul de cette pute, un jour j'ai ramené un *Libé,* et je l'ai ouvert et j'ai démontré aux élèves la différence, la manière dont *Libé* informait les gens par rapport au *Figaro.* Celles qui comprenaient n'achetèrent plus le *Figaro.* La prof était tellement furieuse qu'elle me confisqua le *Libé* et voulut me foutre à la porte.

Je commençais à faire le bordel avec Fatima, une très bonne amie. Elle vint et nous gifla. La bagarre commença et une heure plus tard, nous voilà au bureau de ce putain de merdier de directeur. Il avait beau essayer de jouer au sympa, on lui riait au nez. Il nous menaça de renvoi, mais qu'est-ce qu'on s'en fichait,

Fatima et moi. Dans ce tas de profs, notre prof d'allemand était le plus con. C'était un obsédé sexuel, phallo, un mec rempli de problèmes qui se défoulait, pour compenser ses manques, sur nous. Il nous interdisait de porter des bracelets, du vernis, et aussi de nous maquiller. Peut-être ça l'aurait trop excité. Ce prof me draguait et je me souviens qu'un jour il me radotait des choses à l'oreille, imagine donc lesquelles. Un jour, il convoqua Nadia et moi, Nadia, une Tunisienne que j'aimais beaucoup. Quand il parlait, il ressemblait à un baba en manque de fleurs. J'avais une seule envie, lui rentrer dedans. Je me retenais. Il disait à Nadia de le regarder, elle n'osait pas, car elle était très timide. Quand il me fit la même suggestion, je lui répondis sur un ton agressif qu'il était trop laid, comme un pou, et complètement tapé. Il me menaça de m'envoyer chez le directeur. Je lui hurlai dans la gueule que le directeur et lui n'avaient qu'à aller se faire baiser par leur pute de surveillante générale. Il courut au pied du directeur pour l'informer que je l'insultais et que je manquais de courtoisie. Mes notes, en allemand étaient nulles, j'aimais cette langue, mais au CET on nous offre de mauvaises méthodes pour apprendre une langue quelconque. On nous faisait répéter les mots jusqu'à ce que l'envie de dégueuler nous vienne.

Ce prof me traitait de sale rouge, de gueule de black panther, de voyou, de salope, de putain, sans oublier de me rappeler que j'étais Algérienne. Il disait que dans mon afro, les poux devaient bien s'y plaire. Je commençais à être violente avec les profs, ce qui les incitèrent à faire un conseil de discipline pour me foutre à la porte, ainsi que mon amie Fatima.

A la fin de l'année, le 30 juin 1977, à midi, on nous mit au courant que nous étions fichues à la porte. Le motif : notre indiscipline. Je décidai de préparer une vengeance, je ne voulais pas laisser passer un renvoi injuste. Un camarade de la librairie « Klap »

17

me rédigea une lettre pour envoyer à l'Inspection d'Académie. Dans cette lettre, je dénonçais les attitudes dégueulasses des profs, le racisme auquel j'avais dû me confronter, le physique, etc. Si j'avais été écœurée de bosser, c'était eux qui avaient installé ce dégoût en moi.

Le 13 septembre 1977, 2 jours avant la rentrée scolaire, je ne savais toujours pas où aller, ni ma sœur, qui était aussi renvoyée ainsi que Fatima. Trois Nord-Africaines. Ils avaient gardé Viviane car elle était Française. Ce n'est pas un complexe que je fais, c'est une réalité que je constate, je ne prends pas le racisme comme excuse qui pourrait me déculpabiliser, non, mais c'était vrai, j'ai des yeux pour voir et une conscience pour observer.

L'Inspection d'Académie accepta de nous placer dans un autre CET, Zaiki, Fatima et moi. Mais avant cette acceptation, nous avons fait tous les CET de Mulhouse. Nous avons expliqué notre situation. Nos parents ne savaient rien de tout cela. Le Directeur eut pitié de nous et informa l'Inspection qu'il nous prendrait à l'essai pendant deux mois. Nous étions heureuses, moi j'étais fière car le Directeur de l'autre CET perdit une fois de plus. Il avait tant ricané quand il nous avait chassées. Il s'imaginait que nous allions devenir clochardes, il ne connaissait en rien la fierté arabe, celui-là. Pourtant Monsieur était en Algérie avant d'être viré en 62 par les héros du FLN. L'avait-il oublié ? Il était sûr qu'aucun CET ne nous accepterait. Une fois de plus, il avait échoué. Il était tellement vexé quand il apprit notre retour dans une autre école, qu'il convoqua mon père. Il le mit au courant et essaya de lui monter la tête contre nous. Contre ses propres filles. Malheureusement pour ce connard, mes frères et sœurs nous aidèrent et il n'y eut aucune histoire à la maison.

Mon père s'était soucié de notre réputation à Mulhouse. Il craignait que la famille soit déshonorée dans le quartier par les autres familles arabes.

Car n'oublie surtout pas que l'honneur prime chez nous. Bref, l'année commença, je redoublais ma 2ᵉ année de CAP et Zaiki sa deuxième année de BEP. Pendant les six premiers mois de l'année, je fis un effort pour travailler. Au début, dans cette classe, trois profs sur quatre me haïssaient à cause de l'histoire du renvoi. L'histoire leur avait été interprétée faussement, ils se méfiaient de moi, me mettaient en doute. J'avais une prof de dactylo, qui m'avait fichue dès le premier jour au fond de la classe. Elle n'aimait pas les étrangers, pourtant elle s'appelait Sanchez. Elle nous fit acheter toute une liste d'affaires dont la plupart étaient inutiles. Mais lorsque l'on n'a pas vécu dans une famille ouvrière nombreuse, on ne peut pas se rendre compte de ce que cela coûte pour acheter, ne serait-ce qu'un livre pour chaque enfant.

Elle fermait les yeux sur cette réalité, en préférant exiger de belles affaires, ce qui pour elle, représentait une importance, quant à notre valeur. J'avais souvent le cafard, je me sentais différente des autres, je croyais être dans une cellule, à l'intérieur de moi tout était bloqué, j'en avais des crampes. Le troisième jour, devant ma machine, se tenait une fille qui pleurait à larmes gelées, c'était moi, devant l'indifférence de ce qu'on m'ingurgitait, je me soulageais, je crois.

La prof de dactylo vint vers moi et me cria que les larmes de crocodile ne servent à rien, les élèves riaient, eux, ça faisait la 2ᵉ année qu'ils l'avaient comme prof, ils avaient l'habitude d'elle. Moi je me sentais étrangement étrange dans ce labyrinthe foutu. J'étais constamment sur les nerfs, j'arrivais pas à suivre les cours, je détestais le dictaphone, il me rendait folle.

Un soir, j'ai réfléchi et je me jurai que je ne me laisserais plus faire. Je fis la connaissance des élèves, Nasria, Arifa et Saliha. Il y avait aussi Nedjma. Nous nous étions placées l'une près de l'autre pour effectuer les travaux pratiques. Et c'est ainsi que débuta notre amitié. Les grosses rigolades prirent leur chemin, je

19

me sentais à nouveau bien et je repris le goût du CET.

Les copines et moi, nous décidâmes de nous mettre l'une à côté de l'autre pour tous les cours. Il y avait deux ou trois profs qui n'apprécièrent pas du tout cela. Nous on s'en fichait, c'était déjà fait et il n'y avait que nous qui devions faire la loi. Il me semblait être de mon droit de m'asseoir à côté de celles que j'aime. Personne, à partir de ce jour n'eut plus le pouvoir de juger de notre place. Le bordel, dégoût de bosser me revint en tête, cette révolte intérieure s'extériorisa et je me sentais libre de tout acte, je décidais, je choisissais d'être présente ou non en classe. Mes copines n'osaient pas. Elles craignaient les parents. Elles avaient aussi des frères, car la mentalité des frères qui les commandaient était une dissuasion suffisante pour ne pas rater l'école. Mme Sanchez était jalouse du physique de Nasria. Elle la méprisait et ne cessait de l'écraser. Nasria se sentit humiliée par les remarques déplaisantes de la prof. Un jour, il arriva qu'elle éclata en sanglots. Madame ricanait de la voir pleurer. Cela encouragea Nasria à devenir plus forte.

Tous ceux qui nous insultaient de « sales bougnoules », élèves ou profs, recevaient, désormais, leur mérite. Les faire chier jusqu'au bout. A la récré, c'était le bon moment, on emmenait celle ou celui qui nous insultait pendant les cours, dans une salle et le forçait à nous donner le fric, qu'il ou qu'elle avait dans ses poches. On lui piquait aussi certaines affaires de classe qui pouvaient bien nous servir. Quant aux professeurs, on leur gâchait toute l'heure de cours.

J'apprends la mort de Baader, Gudrun Esslin, Ulrike Meinhof et un autre de la bande. En classe, je ne peux m'empêcher d'en parler. Mme Sanchez les détestait, du fait que pour elle c'était des terroristes. J'avais de la sympathie pour ces gens car ils s'opposaient au régime bourgeois. Tout le monde pleurait le sort des otages et moi je rêvais de détourner un avion dans lequel les riches montaient. Je n'avais rien contre les terroristes, ils avaient pour moi raison dans tous leurs actes. Je haïssais la pitié que les gens avaient pour les otages, considérant leur sentiment comme négatif. Ils avaient peur d'être à leur place. C'est cette raison qui fait qu'ils les plaignaient.

Je ne comprenais pas pourquoi Baader avait été tué. L'excuse des otages ne me semblait pas suffisante pour tuer des individus. Ma prof était heureuse et les élèves, pour la plupart aussi. Pour elle, un gouvernement qui tuait, c'était un gouvernement qui faisait preuve de bien s'occuper de la nation. Ainsi que du contenu qui est le peuple.

Mais ce qui se passait dans les prisons, elle s'en foutait. Un jour, en travaux pratiques, elle nous donna comme travail, de faire comme si on était dans une agence publicitaire et qu'on désirait attirer la clientèle. Il fallait faire de la pub car c'était l'ouverture de l'agence. Nasria, Arifa, Saliha et moi on décida de donner le nom de Baader à notre agence. Je fis un dessin qui représentait un gros bonhomme chialant, il portait un nuage sur sa tête et un parapluie, c'était le symbole de l'agence X. Et l'autre bien sûr, c'était l'agence Baader. Un homme svelte, un soleil en guise de tête, un couteau à la main, il attendait la clientèle, imagine-toi quelle clientèle, et quel genre d'accueil. Qu'est-ce qu'on se fendait la gueule, cette manière de bosser, je n'en perdais pas un grain de plaisir, ça tu peux me croire. Cinq heures, heure de dactylo. La prof entre dans la classe, furieuse. Elle hurle que je suis une sale anarchiste, et ainsi, m'oblige à me lever. Elle me demande en colère, si c'est moi qui ai décidé ce nom. Je ne réponds pas, puis c'est au tour de Saliha et Arifa de se lever. Elle veut nous emmener chez le directeur. Je m'énerve et lui crie sur le même ton que nous étions en soi-disant démocratie française, donc que nous étions libres de soutenir qui nous voulions. Je lui affirmai sur un ton comique que des

Baader, il y en avait plein la terre. Elle me répondit « pas des comme celui-là ! ».

Elle me hurla que j'étais inhumaine et que si j'étais otage dans un avion, je fermerais ma gueule. Je me demandais comment on peut être humain dans une nation policière, comment avec la vie qu'on mène, quand on te fiche huit heures par jour dans un CET où l'on te prépare l'avenir de la délinquance et de la détention, ou comme celui qu'on a fichu dans une usine après qu'il a quitté le CET.

Comment être élève sage quand le germe de la révolte a grandi dans le quartier des bidonvilles où l'on a mis tes parents quand ils ont débarqué en France Comment être élève sage quand pour eux, tu es avant tout bougnoule, que tu es vaurien, fille de Mohammed couscous ? La plupart des élèves indisciplinées étaient Arabes et pauvres. Presque toutes. Est-ce qu'ils cherchent à nous comprendre, ont-ils fait un tour, ces profs, après l'école, pour voir ce qu'on appelle nos « quartiers » ?

Savaient-ils que les affaires de classe, pour ne pas se faire engueuler, on allait les voler, on risquait les flics au cul parce qu'on voulait des affaires comme les autres, pour leurs beaux yeux de salauds. Pour leur prouver qu'on aimait l'école, les cours de merde que l'on avalait pour ne pas traîner dehors toute la journée. Ces cours qu'ils nous aboyaient inutilement.

Eux, ils allaient dans les cinémas intellectuels, j'en voyais au Pax. Ils allaient dans ce ciné d'art et d'essai pour voir les films comme « Chronique des années de braise », il y en avait qui s'habillaient à l'orientale, ils se mettaient du henné et jouaient les anti-racistes. Ils nous insultaient au cours et le soir je les voyais parler de grandes causes. Il y avait une prof dans le collège, elle me faisait faire le ménage pour vingt francs un après-midi. Sur son mur il y avait Karl Marx en photo. Je ne comprenais pas pourquoi y avait cette photo, alors qu'elle exploitait ma sœur et moi pour une petite somme. La salope, elle savait qu'on n'avait pas de sous. Elle avait de la famille en Calédonie, et puis pendant les vacances elle allait en Algérie pour draguer des Algériens de la bourgeoisie. Des mecs de Sonacotra, elle n'en voulait surtout pas. Elle jouait la pro-Arabe. J'ai fini par la détester plus qu'une raciste. Au moins les racistes, comme la prof de dactylo, ils se montrent vrais. En cours, ces profs s'abritent derrière leur masque de petits intellos bien rangés. Moi, quand je rentrais le soir à la maison, je faisais la bouffe, la vaisselle, parfois j'allais au même truc qu'eux, et je les trouvais avec tout ce que je dénonce. Je lisais bien dans leur regard l'hypocrisie, le mensonge et la peur de donner un peu aux autres. Ils avaient besoin de la théorie pour masquer leur ignorance quant aux réalités que nous vivions quotidiennement. Ce pain dur qu'était notre quotidien en France, ils ne voulaient pas le voir. Ils lisaient le marxisme, juste pour dire qu'ils connaissent la classe ouvrière. Pourquoi avaient-ils des femmes de ménage portugaises chez eux ou des femmes comme ma mère pour les servir ? Ah ! ces sales races ! Je leur en voulais à mort. On devait préparer le CAP, ce diplôme qui nous donnerait dans l'avenir la chance d'avoir un métier.

Je n'y croyais pas. Etais-je née pessimiste pour ne point croire ? Cet examen-là, les radotages des profs m'écœuraient, le fait qu'ils nous illusionnaient, nous racontant qu'il fallait bosser sérieusement si plus tard on désirait être des travailleurs consciencieux et gagner bien notre vie. Ils nous mettaient l'eau à la bouche. Cette eau-là, j'avais envie de la leur cracher sur leur gueule de menteurs.

On devait rapporter des annonces d'emploi concernant notre futur métier, et faire des lettres comme si on était en train de chercher un boulot, et qu'on était titulaire à l'avance de notre CAP.

Ah ! Bordel de diplôme à la con ! Tous les jours il pleuvait des interrogations écrites, des textes à taper rapidement et le plus vite possible. On nous conduisait dans les entreprises visiter le matériel de bureau, les machines, etc. Les élèves roulaient des grands yeux, ils s'y croyaient déjà. On devait faire des synthèses sur toute cette merde. Moi, je concluais à l'avance, c'est-à-dire en laissant les introductions, le développement tomber. Je concluais déjà puisque je savais quel était l'avenir après le CAP.

Dans mon quartier, y avait des copains immigrés qui avaient déjà passé ce CAP et ils se retrouvaient à voler, ou traîner devant les magasins de la rue du Sauvage. Après tous les reproches que les profs m'avaient faits, j'ai finalement réussi le CAP et en fin de compte je n'ai travaillé que huit jours pour l'avoir. Ah ! je me souviendrai de ce jour. L'hypocrisie qui sortait telle du venin, de la bouche de ces serpents qu'étaient mes profs. Comme quoi j'étais une élève capable quand je voulais, que je n'étais pas trop bête, et que si je cherchais bien, je finirais par trouver, avec évidemment une tenue féminine, un travail d'employée de bureau : option dactylo-commerce.

Ces remarques me laissaient de marbre. Ah ! « regardez-la, elle ressemble au petit Momo du film " La vie devant soi " » disait Mme Sanchez. Salope !

Avec ce CAP, l'ANPE m'a offert la gentille possibilité de faire les vendanges, de distribuer des publicités aux portes des gens, de faire les ménages chez les bourgeois. Les agences intérim m'ouvrirent leurs portes, comme à tant d'autres, qui comme moi ont quitté les bancs du CET, pour se plier au premier emploi, n'importe lequel.

A Bourgogne Electronique, y avait du travail féminin, les heures allant de cinq heures du matin, à une heure et de treize heures à vingt-deux heures, le soir. Oui, les usines ouvraient leurs portes pour accueillir les élèves qui quittaient le CET. Les nondiplômés surtout, car eux, ils étaient plus rentables. On pouvait les exploiter plus facilement, en faire de la main-d'œuvre gratuite.

Quant à Barre, il avait inventé un nouveau truc pour faire semblant de diminuer le nombre de chômeurs en France : des stages dans le cadre national du pacte de l'emploi nous étaient offerts, comme je ne savais pas quoi faire, j'en ai cherché un, vu que toutes les entreprises où je me présentais pour un travail, n'importe lequel, me trouvaient des excuses telles que :

— Pendant la guerre d'Algérie, vous ne nous avez pas donné de travail, maintenant retournez chez vous.
— Chez moi, pensais-je, mais où ? J'avais oublié que j'étais Algérienne !
— Pourquoi voulez-vous être ouvrière, vous avez un CAP d'employée de bureau ?
— Nous voulons une employée de bureau qui ait de l'expérience, or vous n'en avez aucune, dans ce métier, nous regrettons.
— Nous sommes désolés, ici c'est une administration nationale, et vous n'êtes pas Française.
— DMC. Y a assez d'étrangers comme ça, moi je n'en veux plus, allez voir chez Superba.
— Notre test démontre que vous n'êtes pas compétente pour travailler sur nos machines, nous voulons une main-d'œuvre solide...

J'avais la tête pleine à craquer. Je pris la dernière possibilité, le stage d'aide-cuisinière, celui-ci rémunéré à 1 469 F par mois. Mulhouse-Dijon, j'ai fait les deux villes pour trouver du travail. Un minable stage pour manger le pain, c'est tout ce que l'on me proposait. J'habitais Dijon, il fallait que je trouve une piaule, et dans cette ville bourgeoise, c'était très dur à trouver.

— On ne loue plus aux Nord-Africains. La porte se referma sur moi.

— 1 469 F par mois ne vous permettra pas de payer votre loyer, Mademoiselle.

— Ecoutez, je n'ai rien contre les Arabes, mais les Algériens, ça jamais.

— Que fait votre père, peut-il vous cautionner ?...

Comment pourrait-il, lui qui est ouvrier et Algérien, pensais-je !

Moi qui croyais que ça irait mieux en quittant Mulhouse. Je me suis bel et bien trompée. « Si tu es en bas de l'échelle, tu te feras engueuler tout au long de ta vie », phrase que j'ai retenue dans le livre d'un prénommé « Ennemi n° 1 », chaque fois que je sortais d'une entreprise et que c'était négatif, cette phrase d'un homme que je respecte, me revenait. Cette phrase que tant de pauvres vivent...

C'était novembre 78. Je commençais le 8. Comme d'habitude, le départ est toujours très dur. Je détestais déjà les élèves le premier jour. Pourtant, elles étaient comme moi, toutes des filles dans la merde. Mais qu'est-ce qui me prenait ? C'est marrant, la majorité n'aimait pas mon afro. Ça les gênait. Le prof de cuisine, un homme, me fit tout de suite remarquer que je devrais fermer mes cheveux à cause de l'hygiène. Qu'est-ce que j'en avais à foutre de son hygiène. Je refusais, car j'étais devenue parano depuis qu'au CET on me l'avait censuré, mon afro. Finalement, je cédai car je me suis dit que j'aurais plutôt intérêt à obéir si je ne voulais pas me retrouver dans la rue avec mon afro.

Comme au CET, on nous radotait qu'il fallait être sérieuses dans la mesure où l'on désirait plus tard trouver du boulot. Et puis, menace : n'abandonnez pas votre stage car vous seriez désormais contraintes de tout rembourser, mesdemoiselles !

Notre stage se déroulait de la façon suivante :

Quarante heures divisées en pratique et en théorie.

On nous envoyait faire des petits stages dans les restaurants et ça durait quinze jours.
On gagnait pas plus d'argent même si on travaillait plus. On devait se taire surtout pour la bonne réputation du collège. De plus pour ne pas être à la porte. En classe, ça allait encore, on bossait pas trop. Tout juste, quoi. Ce qu'il faut.
Mais dans les restaurants, on était comme des chiens, enfin ça dépendait sur qui on tombait. Le premier m'avait dégoûtée. Je devais vider des poulets, éplucher des pommes de terre, couper les oignons, laver les poireaux. Les deux hommes qui faisaient la vaisselle étaient aussi Nord-Africains. Ils étaient vachement sympas avec moi. Je les aidais à faire la vaisselle pour faciliter la tâche... Je me souviens que le patron du restau avait été cambriolé par des Manouches, un soir. J'étais heureuse pour eux. Ils avaient volé son fric et avaient pris la fuite. Sa femme, une vieille ruine qui tenait à peine sur ses jambes, priait le bon dieu, tant elle était ravie d'être sur terre.
Lui, il pleurait son fric, les flics avaient été alertés, mais trop tard, les mecs étaient, je pense, déjà loin avec le butin. Je faisais semblant d'être désolée mais j'étais heureuse de les voir malheureux pour une fois. Ça ne devait pas leur arriver d'être malheureux souvent.

Dans cette ville pourrie qu'est Dijon, je ne connaissais personne. Je ne pouvais me permettre de sortir. Dans les bars, le prix des boissons était très cher. Les spectacles c'était pareil. Les habits dans les magasins, également n'étaient pas donnés. 1 469 F, je devais payer une chambre, 350 F, mettre à l'avance 400 F de côté pour plus tard, après le stage, je prévoyais le chômage et il fallait que je me nourrisse.
J'en ai eu vite marre de ces ras-le-cul de soucis et j'ai donc décidé de m'en foutre.

Je fis la connaissance de deux élèves : Claudine et Florence. Des nanas qui habitaient les Grésilles. Elles vivaient dans les HLM où l'on met les familles nombreuses.

Elles me proposèrent de m'emmener dans des boîtes disco.

Je détestais les mecs disco et les nanas disco. Pourtant je suivis mes deux camarades parce que j'en avais ras-le-bol des intellos. Ils me tapaient sur le système avec leurs grands mots qui ne leur servaient qu'à frimer.

Dans l'une des boîtes, je fis la connaissance d'Annick qui venait également des Grésilles. J'entrai dans cette boîte de nuit, habillée à ma façon. Tout en noir. Je portais des chaînes plein mon pull et je couvrais mon cou avec une chaîne. Pour moi, ça exprimait la violence dans laquelle le monde me faisait vivre tous les jours. Ainsi, je vis encore sous ce monde-là. Et puis, c'était une forme de libération féminine, c'était comme mon afro. Les minettes me zyeutaient de travers. Les minets, moins gênés que les minettes marmonnaient des réflexions stupides qui me laissaient de bois.

Une nouvelle amitié arriva. C'était un copain d'Annick, Florence et Claudine.

Il s'appelait Jean-Marie, mais il préférait qu'on l'appelle Bobby.

Il n'était pas beau, non... Mais il avait de la gueule. Il ne parlait guère, buvait de l'alcool, picolait plutôt. Quelque chose en lui me frappait, je me demandais qui était-ce ?

Je devais absolument le connaître.

Le soir, il nous ramena chez nous.

Ce week-end était le premier où je m'amusais de nouveau. Même si c'était en boîte, ce n'était après tout pas plus mal que chez les intellos.

Le lundi, nous reprîmes les cours. J'en avais guère envie de ces cours. Ces cours qui n'avancent à rien, qui ne font que retarder le temps. Mais j'étais obligée d'être présente. Le stage, c'était encore pire que l'école.

Nous sommes considérées comme des êtres du monde du travail et non comme des élèves de classe. Si nous manquons un cours, il faut obligatoirement apporter un ticket du médecin, une excuse prouvant que l'absence était bien motivée.

Je ne pouvais donc point bleuter, au risque que cela me coûte trop cher.

Au fur et à mesure que les jours passaient, Florence, Claudine et moi, on se désintéressait totalement de la cuisine et du reste des cours. On dérangeait les cours, les élèves, ainsi que nos dirigeants de classe. En termes intellectuels, comme diraient les évolués, nous perturbions. Cela ne dura pas longtemps, les profs du stage et l'Inspecteur du travail firent une réunion pour décider si le stage continuait ou pas. Douze élèves, trois non travailleuses, c'était beaucoup pour eux. Il fallait donc trouver un moyen de calmer les trois non travailleuses que nous étions.

Je me souviens que le lundi d'après, on vit arriver à grands pas d'imbécile, l'Inspecteur avec sa cravate et son air con. Il hurla comme un patron parlerait à ses employés quand ils se révoltent contre lui. « Que si ça nous plaisait pas, on pouvait prendre la porte, qu'il nous aiderait à partir. Que de toute façon, il y avait des chômeurs qui attendaient à l'ANPE. » Mais que pouvait-on faire : rien ! ! !

A part fermer sa gueule et se mettre au boulot, car nous devions toujours regarder en-dessous pour se contenter.

N'est-ce pas encore une preuve de répression, et des gens comme M. l'Inspecteur, y en a des milliers.

Et nous les p'tits, on doit les craindre ces milliers de M. l'Inspecteur. Craindre ces grands...

J'en fis un article dans *Barricade* (mais sans espoir de changer ma situation car les mots ne changent guère s'ils ne sont pas suivis par des actes). Et j'écrivis à *Libération*. Mais l'article n'a jamais dû arriver jusqu'à *Libération,* car tant de fois ai-je feuilleté ce journal, et jamais rien.

Je commençais sérieusement à me demander où allait cette vie que l'on nous obligeait à subir d'école en stage et de stage en chômage. Je cherchais dans ma tête des solutions. J'éliminais toute parole blabla intello, et je finissais par croire qu'il fallait une lutte violente avant tout. Ce n'était plus possible d'en rester là, d'être passive. De la transition au CET, des vendanges au ménage, du ménage au stage et du stage au chômage. Ce diplôme, j'y croyais encore moins, on m'a fait le coup une fois et voilà une deuxième, jamais deux sans trois, à quand le troisième ? Avant qu'il ne soit trop tard, je dois réagir.

Dans ce stage, on n'estimait les capacités et la volonté de l'élève que si elle savait écrire correctement une lettre à un employeur, remplir les fiches de la sécurité sociale, de l'ANPE. Les rédactions, les commentaires de texte, cela n'était pas important ni nécessaire pour nous qu'on allait envoyer dans les usines. Moi, je n'ai eu qu'une unité, je faisais partie de ces gens-là qui écrivent mal au patron. Les textes de réflexion, ils s'en foutaient, ces profs.
J'étais écœurée le jour de l'examen, même ma prof de français disait... que les jurys n'étaient pas justes dans leur jugement. Ils préjugeaient et la gueule du client leur importait. Quelle merde. Ah ! qu'est-ce qu'ils étaient gentils, les salauds : ils demandaient qu'est-ce qu'on allait faire, si on avait des projets sur le boulot d'aide-cuisinière, ils disaient qu'il fallait persévérer (toujours persévérer, rien que persévérer) si on voulait gagner du fric dans la restauration « parce que ça peut rapporter gros ». Et patati et patata. Alors qu'ils étaient aussi indifférents qu'un mort sous terre.
Encore une fois un mec de l'ANPE s'est pointé pour radoter. Mais pour qui nous prenaient-ils ?

Après le stage, quand je rencontrais une élève dans la rue, elle me disait que la vie est ennuyeuse, qu'elle était malheureuse, que son mec l'a larguée depuis qu'elle était au chômage... Et les douze, on se retrouvait toutes dans le même sac qui s'appelle : chômage. On faisait partie (pour conclure) des milliers de chômeurs que la France supportait tant bien que mal. Je faisais des prédictions pour l'avenir. Bientôt on sera deux millions, où ira-t-on ?

Vois-tu, toi à qui j'écris ce journal, voilà ce que c'est que d'être pessimiste. Mais comme dirait le prospecteur placier : il faut chercher. Ah ! s'il n'y avait pas les immigrés, criaient la bonne partie des ouvriers français, ah ! y aurait plus d'chômage, et mon fils, il aurait du travail.

A l'ANPE, dans les bus, dans les agences, dans la rue, je l'entendais cette phrase.

J'ai cherché du travail pendant un mois entier. Inscrite dans une dizaine d'agences intérim, dans les hôpitaux privés, car dans les hôpitaux publics, on ne voulait pas de moi, j'avais un papier où il y a écrit : ressortissant algérien. Je devais chaque jour me rappeler de ce papier bleu. J'en ai eu vite ma claque, j'ai tout abandonné, tout lâché, et j'ai pris la décision de me reposer. Repos du ras-le-cul et je n'ai plus rien cherché.

Je me suis seulement inscrite deux mois après le stage à l'ANPE. Je n'avais même plus mon papier bleu, l'ayant perdu dans un concert. J'ai commencé à traîner, les bars, les boîtes, les magasins Nouvelles Galeries. Ça fait de l'occupation de regarder les vitrines. Tout ce qui coûte et n'apporte rien d'enrichissant ! Le temps passait très lentement, je calculais les heures sur le réveil. Je me mettais à tricoter alors que je détestais le tricot. Je m'occupais de mon physique pour avoir l'air potable en passant dans la rue, et pour éviter les contrôles de sales flics.

Je me mettais à picoler, je traînais la savate en compagnie des copains et des copines (faux punk) de Dijon.

Ils faisaient de la musique speedy, d'accord, mais tout le reste était de la frime, donc superficiel. Mais ça me permettait d'être avec des gens qui s'en foutent un peu de mon physique. Et je pouvais discuter. J'avais un besoin fou de parler à quelqu'un mais je ne pouvais pas. Me mettant dans la tête après de mauvaises expériences que les gens étaient indifférents à moi, qui parlais dans le vide solitaire. Ça me rappelle Anne que j'ai tant aimée et qui pourtant un jour m'a laissée tomber. Son frère Pierre que j'aimais et qui m'a rejetée...

Quels sentiments éprouvaient-ils pour moi ?

Je ne comprends toujours pas.

En revenant une année après que je les ai connus, la porte était fermée. J'avais dormi sur le seuil de la porte, alors j'ai compris que le monde ne voulait pas de moi.

Depuis, j'avais décidé fermement de ne plus me lier à personne, sauf à moi-même.

Je sentais que 16, 18, 20 ans passaient.

Mon adolescence difficile, je la digérais toute seule.

Maintenant j'avais compris que l'homme n'est pas gentil et doux, que nous étions avant tout des animaux qui se dévoraient, j'avais aussi compris que le sentiment nous tue.

A Dijon, j'ai fait la connaissance d'un autre groupe. (Stand by, en attente) ! Ils faisaient de la musique assez rock, et ils écrivaient des paroles intéressantes. Sur la violence, les potes, le cafard, le ras-le-cul... etc. Mais en voyant de près, je ne croyais pas à leurs chansons. C'était superficiel, ils étaient sectaires. Chez eux, si t'avais du chit... et qu't'étais une belle gonze, tu pouvais être une bonne copine, sinon par leur attitude ils te montraient qu'ici t'es chez eux. Isabelle et Yamina (ma sœur) avaient vécu avec eux. Quand elles furent dans la merde, ils profitèrent de l'instant pour les foutre à la porte. Sous prétexte qu'elles dépendaient d'eux. Elles n'avaient pas le sou... Au début, j'avoue n'avoir pas voulu les loger. Bien que j'avais pas beaucoup de fric, que 1 400 F, ça suffisait pas pour quatre, je me le suis reproché. Je la reconnaissais, cette faute. Je me suis rattrapée dans mon comportement, et les accueillais quand elles le désiraient. Il est bien d'écrire ses fautes. On les lit, on a honte et on corrige. C'est ce que j'ai fait. L'hospitalité est le reflet de la dignité, ne pas l'oublier surtout que je suis Algérienne.

Revenons à ces Stand-by.
J'étais au bord de la dépres... Un soir, j'allais en compagnie de Sabine et je me suis mise à me saouler la gueule. On n'avait plus une clope et pourtant on voulait fumer. J'étais déjà bien bourrée.
Il y avait le nouveau batteur de Tram, Tram, moi et Sabine. Deux heures du mat. Je me lève, je voulais régler ce p'tit problème de cigarettes. Je me dirigeai vers la gare, j'avais ma robe courte noire, mes collants raisie, mes bottes noires, et un blouson cuir noir. Quand j'arrivai à la gare, je fis la connaissance de trois babas cool, ils m'avaient pris pour une pute. Je leur avais demandé 1 F pour des clopes. Ils riaient bêtement, je tenais à peine sur mes jambes. J'entrai dans les bureaux de la SNCF et me mis à fouiller dans les poches des employés. Ils rigolaient de moi, mais ne me repoussaient pas. Ils me draguaient, je leur ai craché sur la gueule, à travers ma saoulographie, mon dégoût pour ce genre de mecs. Je leur demandais 1 F et la paix. Ils me sortaient des conneries d'ordre sexuel, je restais de marbre et gueulais très fort : enculés, tous des enculés. Sales Français, racistes, colons... Je partis dehors pour quitter cette putain de gare, et revis les babas. Ils m'appelaient, l'un d'eux me roula une cigarette, je gueulais que je voulais un paquet pour les copains. Qu'on ne pouvait pas fumer

une clope à quatre, que ce n'est pas assez. D'un coup je devins violente et mis ma tête dans une vitre assez grande pour me tuer. Elle se cassa en autant de morceaux que la haine que j'avais pour ces babas qui ne font rien pour moi. Mais je les haïssais, car j'avais horreur de peace and love. Je n'y croyais pas, à ce soi-disant mec, cool. D'un coup, les mecs que je croyais employés de SNCF arrivèrent, c'étaient tout simplement des flics en civil. Je ne savais pas quoi dire. Après avoir été conduite au poste de police, je leur ai raconté que j'étais tombée sur la vitre sans le faire exprès. Mes papiers n'étaient pas en règle, donc ce n'était pas le moment de répliquer. J'avais très peur de l'expulsion. J'étais dans ces moments la Fatma.

Eux, ils m'ont fait chier, sans rien dire. Ils m'ont fait remplir une fiche comme quoi je reconnaissais l'acte délictuel, j'avais cassé le carreau, la vitre.

Y en a un qui m'a offert une suze que je fis tomber par terre. Je lui criai que c'était dé-gueu-las-se de se faire en civil et d'être, en dessous de l'habit commun à la société, un flic.

Il ne répondit rien, à part que j'étais « ivre » et tarée.

Après cette soirée merdique, je retournai chez les copains. Ma godasse gauche était fichue. Mais j'avais en main un paquet de cigarettes. J'étais allée à la gare pour ça.

Je me suis foutue sur le lit et me suis endormie.

Après deux heures de sommeil, Sabine et moi on dégagea le plancher, en plus je n'avais pas le droit de mettre les pieds chez Tram. Là je compris encore que leur compréhension se limitait à la chanson, la parole... Et depuis je n'y suis jamais retournée. Ainsi ai-je tourné encore une page du passage de ma petite vie.

Je ne m'entendais plus avec Sabine. J'avais remarqué son jeu, celui de faire semblant d'être avec moi.

Elle passait toutes ses journées ailleurs, elle ne voulait pas bosser, c'était peut-être plus facile pour elle de vivre à mes dépens ? Pourtant je la comprenais. Mais il m'était impossible d'accepter. L'Assedic me donnait 1 400 F pour vivre, et puis c'était tombé à 1 300 F. C'était trop dur de vivre à deux. Sabine était une fille très chouette. Elle emmerdait tout le monde. On l'avait trop emmerdée. Une enfance de droite à gauche. Une mère morte par l'alcool et la vie qu'elle menait, un père qui ne pouvait la prendre en charge. Elle tournait en rond. Personne ne lui avait dit que sa maman était morte. C'est elle qui l'a su en lisant le décès dans le journal quotidien. Et depuis, cela l'a marquée, traumatisée. Une mère est ce qu'il y a de plus important au monde, pour une enfant. Ou pour un enfant. Chez nous les Arabes, la mère est le trésor que l'on veut garder précieusement. Pas un trésor matériel, un trésor humain. Nos mamans ne terminent pas dans les hospices. Les Français, ils les mettent à l'hôpital ou à la maison de vieux pour s'en débarrasser.

Tous les comportements de Sabine, son j'm'en foutisme, étaient liés au rejet dont elle avait été victime dès son plus jeune âge. Ok ! je la comprenais mais ne pouvais accepter. Je n'ai pas eu ce genre de difficultés, mais j'en ai suffisamment bavé. Je ne voulais pas payer la facture de mon amie. Mon enfance a été aussi triste. Je ne voudrais plus jamais être une enfant. Enfin s'il m'est arrivé de l'être.

Dans mon quartier, ou à Bourtzwiller, ou au Drouot, quel enfant voudrait être encore un enfant ? Quand à quatre ans, tu te rends compte de ce qu'est la merde, comment peux-tu aimer la vie ? Tu traînes toute la journée dehors, et tu t'amuses à lancer des cailloux sur les vitres des voitures, tu craches au passant, tu jettes les bonbons que la dame d'à côté t'offre car l'honneur oblige. Tu lui cries dans la gueule : « Va chier ». Tes cheveux sont décoiffés, t'as les yeux cernés, quand maman veut te conduire à l'école, tu chiales, les autres gosses te détestent car tu n'es pas propre. Quand tu les vois avec un goûter dans le sac, et que toi tu n'en as pas, tu te révoltes et tu casses la gueule à l'enfant qui est ton ennemi parce qu'il mange et toi pas. Tu veux toujours être la plus forte, souvent t'es la plus faible. T'en as ta claque. Je me souviens d'un petit garçon d'une famille de dix-huit enfants. En classe il était humilié, rejeté, alors il répondait par la violence. Quand on bouffait il cassait son assiette si la bouffe ne lui plaisait pas. Les instits se fachaient de lui, car il avait des problèmes pour manger avec la fourchette. Alors il mangeait avec les doigts. Les autres enfants avaient honte pour lui. Ils le craignaient parce qu'il était coriace, il frappait quand il ressentait l'humiliation. Il hurlait que son papa avait tué un flic, qu'il était en taule à vie, et que sa maman était malade. Il avait tellement besoin d'affection ce gosse. A sept ans, il avait un rêve, celui de venger son père en tuant lui aussi un flic. Il vivait comme moi, comme tant d'autres, dans les cités transit de Mulhouse. C'était des lieux où la police avait peur de passer. Là où on ne cherche pas à savoir. Ce n'était pas le ghetto, non, mais ça faisait partie du même sac. Le bidonville. Le lieu où les chats sont noirs la nuit. Où l'on entend la mère qui chiale car le père est rentré saoul et l'a battue. Là où les enfants se réfugient sous le lit pour ne pas entendre. Là où l'argent a de l'odeur puisqu'il n'y en a point. Là où le fric fait à peine survivre. Là où on mange du couscous au lait caillé tous les jours. Là où le flic ne manque pas. Le flic qui vient renifler l'odeur du bougnoule.

Heureusement que cette enfance est passée. Mais vint la putain d'adolescence. Celle qui est pareille à l'enfance car elle n'est que sa suite. Après vint l'âge adulte et elle grandit avec la merde. Et elle se rendit compte que la merde n'a pas d'âge, cette merde qui lui collait à la peau.

Cette merde de vie qui je t'assure, cher X., n'en finit jamais.

Je te le jure.

C'est la survie à genoux. Partout comme à l'armée, cette armée qui elle aussi n'en finit pas d'exister. Elle qui a tant pissé du sang sur mes frères d'Algérie.

Souvenir d'avant... novembre 1979

Ma solitude m'énervait de plus en plus. Je feuilletais *Libération*. C'était un samedi. Je lisais les petites annonces. Peut-être y avait-il un mec ou une nana qui également comme moi broyait de la solitude noire ? J'ai lu toutes les petites annonces et je tombai sur les Taulards. J'ai retenu parmi elles une annonce : Kamel, Algérien, cherche à correspondre avec fille du « Bled ».

Ah ! m'étais-je dit, au moins un qui est fier de sa race. Moi aussi je suis Algérienne.

Je commençais à écrire. Bonjour Kamel.

Je lui racontais que je n'étais pas en prison. Mais qu'il n'y a pas de liberté pour moi, même si je ne suis pas derrière les barreaux.

Je ne suis pas entourée de murs épais, mais je ne suis pas libre. Je vois le jour mais c'est tout. Je tourne en rond toute la journée autour des ANPE, des agences intérim... Je lui dévoilais le désespoir. Lui qui cherchait l'espoir. Que pouvais-je donc raconter de beau ? Allez, Kamel t'en fais pas, je t'emmènerai à Mulhouse voir le soleil briller à travers la pluie.

Que le train de Paris, où il sera, sifflera la joie, le bonheur... N'importe quoi pourvu que Kamel rie un peu.

Je lui disais de se tenir à carreau pour être bien vu en taule et que bientôt ensemble on oubliera toute la merde et l'on vivra d'espoir. Ce n'était que des mots. Mais moi aussi j'avais besoin de parler. Etait-ce un handicap, lui qui cherchait une deuxième mère, mais qui soit aussi femme. Je pensais que ce n'est qu'en prison qu'il y a des gens qui disent la vérité. Je ne m'étais pas trop trompée. Mais je lui disais aussi : ne rêve pas trop Kamel, on est Algériens tous les deux, des bougnoules quoi. Pourtant c'était très dur pour lui, qui était taulard. Il survivait grâce au rêve. Une femme algérienne lui écrivait.

Ce n'était que des mots, mais j'avais besoin de parler et je pensais que c'est une nécessité fondamentale que de partager ce que l'on aime ou déteste.

Kamel m'a envoyé une photo de lui, il avait un visage marqué par la fatigue, l'ennui ou la solitude. Je lisais dans ses yeux noirs, le besoin de tendresse dont il devait être assoiffé, le besoin d'un type maghrébin. J'ai appris qu'il avait quitté la prison, ainsi je cessai de lui écrire, n'ayant, je pense, plus rien à apporter. J'ai aussi perdu son adresse, alors j'ai conservé, dans une boîte de gâteaux, ses lettres, en guise de souvenir.

Personne ne m'écrivait, je me demandais toujours pourquoi. Je ne cherchais plus à comprendre et laissais tomber donc à mon tour toute correspondance.

J'attendais impatiemment l'arrivée de Lou Reed à Dijon. Je l'adorais, ce type.
J'écoutais souvent le soir dans le noir, toute seule dans ma piaule, Rock and Roll Animals et en particulier HÉROÏNE. J'aimais le transformer, enfin j'aimais aussi le personnage, je ne l'admirais pas, je le sentais et je me retrouvais très souvent dans son bordel, sa tripe. Pourtant je ne lui ressemblais guère. Lou Reed c'était mon feeling. En plus j'appréciais beaucoup la franchise avec laquelle s'exprimait Lou Reed. C'était

le 12 octobre, mes sœurs étaient venues de Mulhouse à Dijon pour le voir. On était saoule, on s'est installé tout devant, non par fanatisme, mais pour être mieux. Ce concert était super, pourtant beaucoup de gens étaient déçus. Moi j'en avais rien à foutre de ce que pensaient les autres. Lou Reed était, à mon goût, parfait. Vraiment chouette, un physique très sûr, la touche. Il avait un jean, une chemise noire, rien pour faire croire... Tout était dans ses tripes ainsi que dans celles des musiciens qui étaient avec lui, un ensemble génial. Il avait chanté HÉROÏNE, un de ses morceaux que j'aime tant. Des gestes très violents, une façon de diriger les musiciens et le public, ce que de rares chanteurs détiennent comme qualité. Pas facho, comme ont dit certains, mais trop intransigeant.

Un de mes concerts préférés, sinon le préféré, celui de Lou Reed de ce soir. Enfin une soirée intéressante, ce que je n'ai pas vécu depuis longtemps. Quarante-huit balles, OK, mais je n'ai pas regretté et jamais je n'oublierai le Lou Reed de ce soir-là.

Je continuais le mois à rien foutre toute la journée. Mon programme était de plus en plus vide. J'abandonnais le tricot, je ne lisais plus, je me lassais des gens que je côtoyais. N'ayant plus rien à leur dire, ainsi, je détruisais mon intérieur, à force de penser, penser, penser. Je ne dormais pas, ne bouffais pas, fumais sans arrêt et buvais pas mal. Je me mettais dans la tête que je n'étais pas normale, ma tristesse s'accroissait, mon visage était pâle, mes yeux cernés et enfoncés. Des traits creusés, j'avais l'impression de vieillir tous les jours, c'était affreux.

Je ne cessais de regarder ma gueule dans la glace et plus je la voyais, et plus elle me dégoûtait. Je ne me comprenais plus, me rendais responsable de mon état, je ne savais plus quoi faire, me tirer de là, de ce cafard général !

Je sortais vers quatre heures de l'après-midi pour ne pas étouffer. Je marchais lentement, n'ayant plus la force de marcher vite. Je ne voyais personne, quand quelqu'un que je connaissais passait à côté de moi, c'était comme un vide pour moi. Je m'en fichais de tout, souvent des voitures klaxonnaient. Je m'en fichais même si l'on voulait me renverser. Cela n'était plus mon affaire.

Je ne servais plus à rien dans ce monde, dans leur monde dont je ne faisais plus partie, n'ayant aucune situation. Parfois, j'entrais dans une librairie où l'on pouvait écouter de la musique. Je prenais un disque, souvent Oum Kalsoum que j'aimais, Higelin dans « Alertez les bébés ». Ce genre de disque ne pouvait rien changer. Au contraire, ils approfondissaient ma peur, ma tristesse. Mais je ne voulais plus rien espérer de la vie. Je prenais le désespoir en main, je prenais presque plaisir à me cafarder à travers « Alertez les bébés ». J'écoutais Higelin, le réécoutais, moi qui ne pouvais interpréter ce que je pense, en chanson, un autre chantait pour moi.

Oum Kalsoum, c'était la femme, la grande dame du monde, rien qu'une pochette. Ce physique délirant, cette présence qui t'écrase, j'écoutais AL ATLAL. Mon disque préféré de toute la musique. J'aimais aussi beaucoup Gainsbourg. Inutile de dire pourquoi, peut-être lui aussi est un de ces bougnoules que haïssent les bons Français. Mohammad Abdel Wahab est aussi un homme, un chanteur que j'aimais. Sa gorge d'or fait de lui le chanteur arabe que je préfère. Quand Oum Kalsoum chantait AL ATLAL, j'avais des frissons dans tout le corps et pourtant je ne comprenais pas l'arabe, moi qui étais une immigrée. Il n'y a rien à dire quand on écoute Mohammad ou Oum... Je sortais de cette librairie comme saoulée de musique. Je me dirigeais vers chez moi pour écouter Brel, Lou Reed, Sex Pistol, Nina Hagen, Gainsbourg, je fumais mes Peters Stuyvesand, buvais du café noir pour me réveiller.

Je démaquillais ma face triste, mes cheveux, je les décoiffais et je me couchais dans mon pieu pour attendre le lendemain. Ce lendemain qui venait lentement, puis ces autres lendemains qui suivirent celui que j'attendais. Je fis de nouvelles connaissances à Dijon. Les Tango Lüger, un groupe de Beaune. Avec eux, traînaient deux nanas super. Les deux s'appelaient Christine. Un samedi après-midi alors que je traînais dans un bar, je les rencontrai. Elles m'emmenèrent avec elles à Beaune, chez Christine, la grande. Après on a rejoint les autres, les membres du groupe... Jack, Eric, Manuel, Jean-Luc. Tous vachement sympas, pas trop frimeurs, qui se prennent pas trop au sérieux. Jean-Luc au synthé et au chant, Jack le bassiste, Eric et Manuel, guitare, Patrick, le batteur. Je passais ce week-end en leur compagnie. On est allé boire un verre au bar du Lion où le serveur sympa, mec qu'en a ras-le-cul de bosser, mais fait quand même, cause fric. On buvait des demis, fumait des clopes, racontait la vie, la société : trop c'est trop. Rien de spécial cette soirée, l'ennui mais à plusieurs, le lendemain de retour à Dijon avec Christine.

Tout de suite faut que j'aille au gala de la boîte à coupe, je me souviens à peine que je servais de modèle. Fatiguée, gueule de bois, j'y vais, j'ai des bottes noires dans un sac, elles m'emmerdent, alors je les fous dans une poubelle. Ouf ! Boîte à coupe. « Tiens bonjour, je suis modèle. » « Ah ! bon vous, mademoiselle, modèle ? Ah ! » C'est la réponse du coiff... Je m'allonge sur un fauteuil, dors à moitié attendant sa putain de minette qui doit me coiffer. Rien dans le ventre, je n'ose pas bouffer avec eux, fais semblant qu'ça va. Pas un habit présentable, faut qu'une d'entre elles téléphone à sa mère pour me procurer le nécessaire. J'aime tant mes habits noirs, robe courte, bas résille, chaussures noires, gueule blanche pour des ongles cassés noir et vernis. Je pue, je m'en fiche, je suis moi.

Arrivée à Beaune pour le gala, ça sent le parfum,

les vernis, les odeurs de minets en chaleur, qui s'minaudent dans la glace ainsi que les minettes. Une gomina pour moi, c'est parti, présentation sur le plateau des jeunes où je suis, malade, je marchais de travers, rien à foutre, je ne peux pas faire semblant. Gala terminé, gala nul, je bois du cassis rouge, bouffe leurs gâteaux, pas un mot sorti de la journée. Le soir, invitation par un directeur de boîte, me paie un apéro, puis le repas, je rentre dans son jeu « oui, c'est vrai », « c'est juste Monsieur ». Des frites, du steack, quoi de plus merdique, du rouge et va au diable. Vive la fin.

Deux heures du matin, je me dégote vite une femme pour me ramener à Dijon, j'en trouve une, bon débarras Monsieur le directeur. Merci pour le repas, merde pour le reste. Je rentre chez moi, étouffée par l'ennui, j'écris mon journal pour me soulager.

Samedi d'après, je participe à une répétition des Wingls que je trouve plus sympa qu'avant. Ont évolué en peu de temps, plus de personnalité, deviennent donc forcément plus intéressants. Malheureusement, les copines qu'ils ont, en majorité fausses punks, mode de Paris, Pogo, Bordel à queue, donc superficielles, habits neufs, mode rétro, rien à voir avec Sex Pistol, etc. Un pour la frime, deux pour le physique et trois pour la baise. Me font chier car je hais la femme objet.

17 novembre, festival à Auxonne.
Cinq groupes : Dogs, Tango Lüger, Flinganors, Moïse Bat, Wingls Junkis. Concert chouette sans plus. Dogs, bonne musique, mecs gentils, trop mignons. Bah... Chansons de Tango Lüger pour Mesrine, enfin Sabrina sa fille. Moïse Bat, bonne reprise de docteur Feelgood, reste merdique HARD ! Wingls Junkis meilleur groupe de ce soir, la frite, la pêche, en ont dans les tripes, veulent en donner à fond d'la musique et New Wave ! Ont viré sur le Punk, qu'ils le veuillent ou non !

D'un coup dans mon intérieur me revient en trente mille lettres un 2 novembre 15 h 15 porte de Pantin. Blocage dans le ventre, j'ai mal à l'estomac, j'estimais beaucoup Jacques, beaucoup ! Pas de gloire, de héros, rien de tout ça, j'aimais Mesrine comme un père ou une mère. Pas d'admiration, je ne sais pourquoi. Ne peux ouvrir la gueule inutilement, car trop de respect. A baisé la gueule aux flics jusqu'au bout, ils l'ont descendu, malheureusement pour eux, Jacques avait prévu la fin. Lui-même. Lis, X... à qui j'écris, « L'instinct de mort », tu comprendras par les mots de J... Comment on transforme une « corvée de bois » en Algérie...

A bas la prison ! Merde à la justice française !
A bas la prison !
Poison d'intérieur,
Pas d'extérieur,
Interdit,
On laisse faner les fleurs,
On laisse les pleurs inutiles,
Ils se durcissent, s'affaiblissent, ça dépend de la durée,
10, 20, 30, la peine est longue, ils se vengent, tentent l'évasion,
Quand ça échoue, tentent le suicide,
Où est la vie, où est l'amour quand la mort est près de toi...
Amour amer.

2 novembre 1979.

Fin du festival, crevée, je rentre à Dijon, Yamina, Isabelle avec moi. Elles partent à Besançon, avec les Dydy, un groupe punk, extra, super speedy, ah ! oui, j'avais oublié qu'ils étaient présents dans le tas qui jouait. Elles sont parties avec eux, pour continuer après en stop jusqu'à Mulhouse.
Me retrouve dans la piaule seule, trois heures du mat.

43

Je ne peux dormir. Prends le journal pour raconter ça. Pisse and merde !
Sale faux punk, n'ont rien compris.
Parole pour les connards qui se masturbent sur le Pogo, s'imaginent être dans le punk !

Semaine qui commence, semaine vide jusqu'à la moelle, dormir, bouffer un peu, tricoter, faire un p'tit saut en ville, boire un verre au café, la semaine, des jours longs et ennuyeux, calcul du fric, pas assez pour vivre, m'éclater, alors je suis le système passivement. J'ai rompu avec tout le monde, c'est dingue, il m'arrive parfois de me faire du souci, merde alors et si je suis dans le pétrin ? C'est comme en prison, je suis seule, y a que moi qui est là pour moi !
Très dure, l'angoisse, mais qu'y faire ? Je me console en crachant ma lucidité à travers des pages que je déteste puisqu'il s'agit de moi dans tout le merdier qu'est cette année de vingt ans que je broie.

Fin novembre

20 ANS

Instable, vie invivable,
je n'ai que vingt ans,
j'ai mal au ventre,
j'ai l'estomac plein d'encre,
que je dégobille sur des pages,
ce ne sont qu'images, passages, mes vingt ans, le bel âge !

Ah ! je suis blasée, mais je voudrais tout raser.

Ces hauts murs sombres que sont mes soi-disant amis,
je les ai mis dans un tiroir,

44

tous ces souvenirs, ainsi je continue le chemin,
l'avenir !

Ah ! je suis blasée, mais je voudrais tout raser !

20 ans, 20 fleurs fanées,
20 armes qui fleurissent pour pourrir,
20 ans pour rien,
Que vais-je devenir,
où est l'avenir,
Ah ! je suis blasée, mais je voudrais tout raser !
Ces lieux, ces taudis, ces hauts lieux de la sûreté,
Immigrée de je ne sais plus où, je voudrais tout raser...

9 décembre 1979

NOIR !

Ça fait un mois et sept jours que Mesrine a été
abattu,
ça fait 79 jours que Goldman a été assassiné,
ça fait seulement vingt ans que je suis sur terre !

9 décembre 1979

DANS LA RUE DE LA LIBERTÉ !

L comme liberté, c'est le nom que l'on t'a offert,
Tes boutiques, tes nouvelles galeries,
Achète tant que tu peux,
Tu es libre à la rue de la liberté...
Petits merdeux, petites merdeuses, je vous emmerde
rue de la liberté.

Samedi soir nous étions au moins vingt personnes. On s'était retrouvé tous à la grande taverne. On buvait des demis à grande dose, des conneries qui sortaient de chaque gueule que nous étions, tous dans la Punkitude. Ce putain de bar, y avait une connasse célèbre, coupe stone, blonde, visage pas beau, petite poupée qui présente midi trente, les starlettes du show biz. C'était bien la mère Gilbert. On se foutait de sa gueule, elle était rouge, moi je croyais qu'elle allait éclater. Elle avait la pose d'une statue devant une coupe de champagne. Après nous sommes partis, il était environ minuit, le troquet fermait ses portes. Nous étions en compagnie d'un intellectuel qui nous analysait. Il me disait que les punks sont vulgaires, essayait de nous blesser, tu parles. Je profitais qu'il me payait des verres, n'ayant pas un rond dans la poche. Pour jouer au mec humaniste, il fit venir à la table un Nord-Africain qui était seul à côté de notre table. Il lui offrit des cigarettes, lui paya un verre et se mit à discuter. Il faisait exactement ce qu'il avait fait de moi. Nous prendre en pitié. A la différence des autres punks, nous, nous étions à ses yeux des Nord-Africains. Donc dans le fond, on ne pouvait pas être punk, nous étions des pauvres paumés. Quelle honte.

Ce Nord-Africain, qui s'appelait Ramdane, était très intéressant. Il avait trente-cinq ou quarante ans. Il me parla de la femme algérienne, l'esclave qu'elle était, et que ça lui faisait du bien de se trouver en compagnie d'une femme algérienne, qui était moi. En plus, dans un bar. Qu'en Algérie, y a pas beaucoup de femmes qui sortent. Ça je le savais bien puisque je l'ai vécu. L'intello s'intéressait à la civilisation orientale, il faisait des recherches là-dessus. Oh ! que ça m'énerve moi, ces orientalistes.

Oh ! il me rendait malade ce con d'intello avec ses recherches sur nous. J'en ai eu la nausée, j'avais envie de vomir. Oh ! j'avais aussi beaucoup bu.

Ce salaud d'intellectuel a fini par me faire des

propositions. Il discutait pour essayer de me baiser. Ça aussi, je l'avais bien compris. Pourquoi il payait des pots à moi et pas à Ramdane ? Je refusai qu'il m'accompagne et je choisis de rester avec les punks qu'il n'aimait pas. A la sortie, il nous fit un sale coup. Il alla au Crédit agricole et déclencha le signal d'alarme et se tailla. Son désir était qu'on se fasse tous embarquer, moi, Ramdane et les punks qu'il n'aimait pas. A côté du Crédit agricole, Pascal cassa une vitre d'un restaurant, et chercha à péter la gueule à des rockys et des babas cool. Au risque de nous faire embarquer tous, nous nous séparâmes pour rentrer à la baraque, à chacun sa fin de soirée. Je restai en compagnie de Lapin, un punk, fou du Reggae comme moi, j'adorais le Reggae... Max Roméo, Les Spechos, etc. Il m'accompagna jusque chez moi, je me souviens, il pleuvait, plus un chat dans la rue, rien que nous. On discutait sur ce qu'on pense des punks de Dijon et on se rendait compte que la majorité était des faux.

La touche, la frime, le fric à papa et maman, et avoir le culot de jouer aux punks, ça, ça me sortait par les trous de nez. Lapin c'était un mec qui vivait d'abord à droite et à gauche, pas un sou, au chômage, il zonait. Le vrai zonard, celui sans domicile fixe et qui essayait de se démerder en ne dépendant que de lui-même.

Il se trouva un boulot, bien sûr pas chouette, mais y a un moment où c'est le vol ou faire comme les autres, acheter. Il bossait. On parlait beaucoup du Rasta, du Punk, et on était bien d'accord que le Rasta avec le Punk (la merde, les bidonvilles, les poubelles de la vie normale) c'est ce qui fait tant peur à la bourgeoisie et aux capitalos.

47

Janvier

Vacances passées à Mulhouse, vacances agréables
dans la famille où régnait une atmosphère qui, dans
l'ensemble, était paisible. Dehors, les cafés, la rue, la
ville, des gens sur chaque trottoir, des clochards,
bouteille de rouge à la main, haillons sur le corps,
tristesse dans les yeux, rougis par cette vie de merde.
Mulhouse, 26 décembre, mort d'un Nord-Africain,
nommé Rachid. Deux fautes : il était Nord-Africain,
et il s'est permis de draguer une nana d'un mec français. 17 ans, il a perdu la vie et la vue, sans avoir pu
vraiment ouvrir les yeux, le fusil a répondu à la drague,
à la tendresse que, peut-être, il avait cherchée en cette
fille. L'autre mec, le Français, ne lui a pas laissé
l'temps. Il l'a descendu, ce n'était qu'un Nord-
Africain qui crevait.

31 décembre

Fin de 365 jours pénibles. On s'emmerde, alors
on va au bal voir les gens du quartier fêter leur
nouvelle année. Des bidasses, pas un rond dans la
poche, la gueule bourrée, veulent entrer à l'œil. Le
caissier refuse. Ça me fout en colère et j'insiste pour
qu'il laisse entrer ces mecs prisonniers à l'armée. Ça
s'arrange, ouf, bonne année Monsieur le caissier. Les
gens, des gueules ternies par l'ennui de tous les jours,
des couples qui s'embrassent par habitude, chacun
veut avoir l'air par rapport à l'autre, des minets et
des petites minettes prolos, coiffure sophistiquée,
visages des nanas maquillées, robes du soir et cos-
tards s'entremêlent dans des slows. Ils et elles se
regardent « pour un slow avec toi ». L'orchestre bal

48

musette, musiciens, bières dans la bedaine, costume rouge et noir, petit nœud noir à la gorge, entonnent l'air de Germaine, Capri. Selon les rythmes, les couples heureux pour ce nouveau jour qu'ils ont imaginé dans leur tête creuse, tournent en rond. Moi, j'ai des vertiges en voyant tout ça, j'ai le blues, la gorge serrée, ce n'est qu'un jour qui passe.

Y en a qui prennent des coups dans la gueule au Maroc, au Chili, en Palestine. Et même dans l'coin de la rue ça matraque. Les matraqueurs, sur les matraqués se défoulent, j'en ai le trac. Je ne peux pas penser à ça. 1917. Y avait paraît-il une nouvelle année en Russie. En 1962, en Algérie, y avait un nouveau jour ce 5 juillet. Mais ce soir, rien n'a changé. La vie tourne dans ma tête, telle une toupie ; ça me donne la nausée. Dans la salle, je remarque un « brun », comme diraient certains. Il fait l'ordre dans la salle pour éviter les bagarres. Parce que dans ce satané bal, pour un oui ou non, le cran d'arrêt peut répondre. Des mecs se battent par la parole, je trouve ça super s'ils arrivent à s'expliquer sans le couteau. Et voilà y en a un qui cogne. Le « brun », essaye de les calmer par la parole. J'aime cette façon de s'expliquer. Il n'a pas l'air d'être dans le piège de beaucoup de videurs, qui souvent ressemblent à des chiens flics. Le « brun » vient à notre table.

Y a Zaikia, Renée, Fatiha, Gérard et moi. Il nous offre à boire. « C'est pour Nouvel An ». C'est comme ça. Il me parle en arabe, me demande mon origine. « Moi, dit-il, je suis Marlaby wa Antiya ! Algérie, frère. Tu t'ennuies pas à faire ton rôle ? » « Non, ça va, c'est assez calme ».

Fatiha dans les bras de Gérard son rocky adoré, elle punck-Rock, ils s'aiment comme ça. Renée sur les genoux d'un copain, moi et Zaikie, on critique tous les gens pour déconner. « La honte », c'est le bal des vampires. Regarde sa gueule, à fond, à fond ! Ha ha ha !...

L'heure ne tourne pas, ras-le-cul ; Zaiki et moi, on aperçoit un type seul. Gueule agréable à supporter, on va vers lui, salut, tu trouves pas qu'c'est con ? Réponse du mec : « Si, mais on passe le temps. C'est tout. »

Mulhouse si, Mulhouse ça, etc. Ah ? Tu fumes ? Tu en as ? On va chercher Fatiha, le mec cherche deux autres types, à trois, ils se sentent plus pour fumer un fond de pipe, une tafe, deux tafes, bah il est dégueulasse celui-là, c'est pas du bon. Fatiha refuse de fumer « c'est pour les babas ». Eh ! les nanas, vous voulez pas venir avec nous ? Cassez-vous, têtes de cons. Et on retourne à la table « au suivant » ! De nouveau la bagarre. Ali et un type qui s'dit manouche. Le videur Marlaby intervient : « Arrêtez les mecs ». Le manouche menace de trancher Ali, Ali, buté, répond, mais ça se calme. Ouf. Ils se serrent la main, tchin tchin, une bière ensemble !

Fin du bal. « Ila li qua wa schoukran » (1) pour ce mec du Maroc. A bientôt : « In scha-allah ». Albert, frère de Renée nous conduit en bagnole à la maison, tchao, ouf, la fin, la baraque. Merde à 80, l'année à droite. Si seulement El Pueblo Unido nunca Ramas Sera Vincidos ! Mais quand ? Ah la lucha continua sei difficilé, l'oppressionné vincérémos, vincérémos, viva l'égalité des femmes avec les hommes. Je vais dormir crevée par tout et rien.

2 février 1980

J'aide ma mère à faire la bouffe, ça me fait plaisir, elle, elle écrit en arabe. Notre langue si belle, si riche, qu'ils nous ont confisquée. Elle, elle comprend le Coran, elle y croit beaucoup mais cela n'empêche

(1) « Au revoir et merci ».

pas, qu'elle veut faire ce qu'elle désire, comme nous, femmes arabes de la nouvelle génération. Elle ne veut pas être la vieille nonne qui doit se taire et exécuter. Elle se sent jeune, elle veut vivre ce qu'elle n'a pas pu vivre avant. Elle essaie de s'instruire, de se cultiver par elle-même. La maison est révoltée, il y a six femmes qui condamnent l'oppression masculine. Maintenant nous sortons le soir quand bon nous semble. Nous nous habillons comme nous désirons, nous fréquentons qui nous voulons. Pas de supérieur. Chacun mène sa vie comme il veut ou comme elle veut. Frères et sœurs. La mentalité phallo, pas chez nous. Plus de sexisme. L'égalité et la paix ça peut exister. Notre révolte d'adolescentes nous a beaucoup servi. Voyez-en la preuve. Rares sont les Arabes qui pensent comme nous. Dans le quartier, la plupart des filles sont mariées ou ont été mariées. Les familles arabes nous regardent d'un mauvais œil. Nous ne sommes pas honorables et respectables à leurs yeux car ils pensent que nous, les filles, on n'est plus vierges. C'est tout ce qui compte quand on est une bonne musulmane. C'est ce qu'ils veulent les hommes arabes. Nous ligaturer notre sexualité, nous convaincre que nous sommes inférieures. Le malheur, c'est que beaucoup de femmes arabes-musulmanes, croient à cette bêtise. Alors elles font tout pour garder la virginité, qui est l'honneur du cousin, du frère, du père et pas le leur. Le jour du mariage, elles se font violer et croient que c'est ça l'amour, une dot, des you you you. Moi, je ne veux pas être honorable.

Fin des vacances, le 3 mars 80. Je retourne à Dijon, mais pas toute seule. Il y a Fatiha, elle est heureuse et un peu triste. Elle doit quitter Gérard. Mais à peine elle est à Dijon, qu'elle se dégote Pascal. Un punk de Dijon. Les Winyls nous écœurent, avant ils puaient les punks, maintenant les voilà new Wave. Ah ! les étiquettes. Ils ont eu des cadeaux à Noël les Winyls. Papa, maman, bijoux, gâteaux et bisous... Je les hais ! Par derrière, ils me tapent dans le dos. Ils disent que je viens les exciter, que je me prends à la hauteur d'un mec, qu'on peut pas m'baiser comme ça. J'arrive à la taverne, salut, salut... Mais malheur pour eux, Lapin le punk, Rasta super copain me dit ça devant eux. Les Winyls, gueules béantes, disent rien. Moi, je me sens tellement au-dessus de leurs gamineries que je ne me fais pas de bile. J'ai largement dépassé ce stade. Maintenant c'est bonjour, et ça s'arrête là. A Dijon, pas de punk, à part Lapin, Sylvie, Marc, Agnès.

Sais-tu X., à qui j'écris, que je suis des cours d'arabe ? Eh oui... Je suis Arabe, bougnoule d'Algérie, née en France en 59, quand les Français violaient nos sœurs en Algérie. Je fis la connaissance d'autres femmes arabes. Elles se prénoment Aïcha, Najat, Nora. Elles ont quinze, seize, dix-sept et dix-neuf ans. Elles revendiquent comme moi, le droit de vivre aux femmes du Maghreb. Parce qu'elles en ont par-dessus la tête de la paix de la servitude. Nous ne voulons plus subir l'oppression sexuelle masculine, nous considérons que même les intellectuels des pays arabes qui prétendent être des libéraux quant à leurs aspirations politiques et même sexuelles, refusent d'épouser des filles qui ne ressemblent pas à leur mère, c'est-à-dire, des femmes qu'ils baisent élégamment. Beaucoup d'étudiants marocains que je connais sont comme ça. Ils condamnent le régime de Hassan II mais ils exploitent leur mère. Ils font partie des responsables de la phallocratie, je les accuse d'être complices de cette maladie sociale. Ils maintiennent, ainsi, des régimes à caractère raciste puisque sexiste.

Jamais il n'y aura une véritable révolution au Maroc, jamais. En Iran, les femmes viennent de se faire baiser la gueule par Khomeiny et ses Mollahins. Il a pris le pouvoir, il s'est servi des femmes comme support à la révolution et plus tard il les a ramenées à la soumission sous un tchador. Alors je me demande pourquoi cela fut utile pour les femmes de descendre dans la rue et chasser le chah d'Iran, si c'est pour retourner au voile. Moi j'ai peur. Je suis Arabe, maintenant je le sais, pourquoi me regardent-ils comme une étrangère ? Car je refuse le voile ? Je ne comprends pas. Quel que soit le régime instauré dans les pays musulmans, je ne comprends pas pourquoi la démocratie s'arrête au cul de la femme. Tous les pays musulmans ont ce point commun, pourquoi, pourquoi ? Je suis Arabe, j'aime ma race, je suis fière d'être Algérienne immigrée, pourquoi Arabe doit vouloir dire pour les Arabes, sois ma sœur, ma mère ou reste une pute ? Je suis au cours d'arabe, le cours n'a pas commencé, je parle avec les trois filles du Maroc.

Je me rends compte après plusieurs discussions avec mon prof d'arabe que celui-ci, bien qu'il lutte dans des organisations contre le racisme, est en contradiction avec ses idées. Il aime les femmes grosses, blanches, angéliques. C'est pas un progressiste, même s'il dit qu'il est contre Hassan II (qui ne mérite même pas une majuscule à son H). Il faut être clair sexuellement si l'on veut être clair politiquement. Sinon la situation est ambiguë et ne peut qu'être dangereuse pour les femmes arabes qui luttent pour atteindre l'égalité. Je ne veux pas insinuer qu'en Occident tout va bien. Mais chez nous, je crois que c'est pire actuellement, quelles que soient les justifications que l'on met en avant pour expliquer cet état de fait. C'est honteux que des progressistes qui luttent à l'UNES (Union des Etudiants du Maroc) s'arrogent le droit de justifier l'exploitation des femmes. Combien de fois ai-je entendu que le colonialisme est la cause de l'exploitation de nos peuples. Certes, mais est-ce une raison pour justifier ou alimenter la montée de notre intégrisme malsain ?

Au Maghreb, les hommes sont favorables à l'humiliation de la femme, surtout quand elle essaie de se libérer. En France c'est kif kif, une femme libérée

53

n'est plus une femme arabe, elle devient soi-disant occidentale. Le fait qu'elle fréquente les endroits qu'elle ne devrait pas fréquenter (café, ciné, concerts) tout ce qui sort du domaine de la tradition arabe et pas forcément musulmane, comme ils prétendent. Ils nous prennent pour des moins que rien. Nos pères se comportent pas comme de vrais pères. Ils n'ont que des relations très lointaines avec nous, les filles. Pourquoi ? Pourquoi nos frères se comportent-ils en maîtres et non en vrais frères ? Pourtant en France, ils sont traités comme des bougnoules et non comme des hommes venus de nations souveraines. Ils ne savent pas que nous, femmes, nous avons des points communs avec eux. Premièrement, nous sommes bougnoules, deuxièmement nous sommes là en tant que passantes. Ils estiment que la misère que l'on subit, nous femmes, n'est pas une misère. C'est la vie de femmes et c'est comme ça, c'est Allah qui l'a voulu. Quand les femmes françaises se joignent à nous, pour mener le combat féministe, et que ces femmes leur demandent des renseignements sur notre condition, quand ces femmes revendiquent le droit aux femmes arabes à être libres, ils se contentent de leur affirmer fièrement : « Les positions que vous avez vis-à-vis de nos femmes, sœurs et mères, sont des positions occidentales ».

Donc, je déduis de ces affirmations trop faciles, que, — pour eux, les pseudo-intellectuels des pays musulmans —, la femme française n'a pas à se mêler de notre condition de femme arabe. Ils prétendent que les femmes françaises, parce que Françaises, donc occidentales, ne peuvent comprendre que notre condition, c'est la civilisation orientale elle-même.

Pour moi, ce n'est pas un argument valable : ils veulent nous diviser. N'avons-nous pas, après tout, le même sexe, que nous soyons occidentales ou orientales ?

Lorsque les femmes françaises ont commencé à fréquenter les lieux publics, sont-elles pour autant devenues anglaises ou américaines ? Nos hommes disent que nous, les femmes immigrées de la deuxième génération, nous ne sommes plus des vraies Arabes car nous sommes comme les Européennes. Nous nous dévergondons, nous traînons dans les bars, nous fumons, nous buvons et nous baisons. Comme si femme arabe, à leurs yeux, voulait dire : maison, chiffon, enfant et ferme ta gueule. D'ailleurs j'ai l'impression que de nombreux Arabes de sexe masculin reconnaissent en eux-mêmes une certaine infériorité. Pour eux, arabe signifie, on dirait : sois frustré, arriéré. Ne t'amuse pas, couds ton sexe, ligature ta sexualité car elle est péché. Soumets-toi. La civilisation arabe est-elle le reflet de notre infériorité ou bien est-ce nous, Arabes, qui infériorisons notre civilisation en la censurant ? Dès lors qu'on sort du foyer, on devient des Françaises ? N'est-ce pas absurde de nous bourrer d'interdits et après d'accuser le colonialisme d'être à l'origine de tous les maux des Arabes ?

L'homme arabe musulman doit lutter pour le bien et non pour le mal. Celui qui prétend être partisan de la paix doit se respecter. Mais s'il ne respecte pas sa prochaine qui est la femme, comment peut-il se respecter lui-même ? Est-ce l'islam qui nous emprisonne ou bien sont-ce les Arabes qui trompent l'islam ? Je ne sais plus.

Un patron, quand il exploite le bougnoule qui est mon frère arabe, à cause de ses cheveux frisés et de sa gueule brune, l'Arabe refuse cette humiliation. Alors il lutte contre l'injustice qu'il subit et revendique des droits avant tout liés à sa dignité. Pourquoi ce même Arabe, quand il rentre à la maison, fait-il ce que le patron lui fait subir, pourquoi fait-il la même chose avec Fatima ou Aïcha ? Il l'exploite, elle subit jour et nuit l'exploitation sous toutes ses formes. Elle joue le rôle de la souffrance, elle est le jardin de procréation ou plutôt un champ. Au fur et à mesure que les années passent, le champ s'use. Il a été trop utilisé par le maître qu'est cet homme arabe, ouvrier à l'usine et patron à la maison. Lui de son côté est usé par l'usine, il devient l'os que la machine a trop rongé. Il ne peut plus travailler. Et les champs de procréation que sont nos milliers de mères sont en friche ! L'homme arabe, nos pères, ne veulent ou ne peuvent comprendre : plus elle est grosse mieux c'est. A l'usine le patron pense : « C'est un bougnoule, c'est gratis, on peut s'en servir comme on veut ».

Quand les travailleurs que sont nos pères saisissent ça, il apparaît une trace de révolte, ils s'unissent, se serrent les coudes et se transforment en camarades de lutte. Mais quand nos mères se mettent à lutter, ils s'unissent contre elles car, pour eux, ce ne sont plus des mères mais des putains. Mais un jour nous ne nous tairons plus. Les femmes arabes ouvriront leur gueule, même s'il faut faire la guerre. « Je préfère les dangers de la liberté à la paix de la servitude ». Qui a aussi dit que « le droit de vivre ne se mendie pas, il se prend ». Croient-ils que nous ne sommes nées que pour subir, souffrir et exécuter silencieusement ce que ces « sultans » veulent de nous ? Ces sultans de gauche, de droite que je condamne par respect de mon sexe féminin.

Sans nous, ils ne seraient rien. C'est nos mères qui ont porté les neuf ou dix gosses. C'est elles qui ont fatigué pendant de longues et douloureuses années leur ventre, elles, les objets qu'ils engraissent dans les cages où les Français nous obligent à vivre. Nos mères, les femmes du Maghreb et des autres pays où l'islam est religion d'Etat.

Il est interdit pour les femmes de faire l'amour, il est interdit pour les femmes de fumer, c'est haram (1) !
Interdit de s'imposer, de s'affirmer,
Interdit de regarder la liberté seule, l'homme est là pour ça...

_____
(1) Pécher.

Mères, ne faites pas vos courses, le marché c'est un
lieu d'hommes donc
Haram pour vous..
Haram, haram, haram, ils n'ont que ce mot dans la
bouche. Ce mot que je hais.
Eux, ils boivent, ils baisent, ils draguent les Fran-
çaises...
Assez ! Ce n'est qu'un début, commençons le combat !
Nous avons le droit d'être égales. Si c'est une tare,
vive cette tare.

Nos hommes !
Aux portes de cités d'abondance !
Notre vie, c'est manger, c'est s'habiller, c'est dormir !
Ils ont les yeux fermés, prient le grand !
Pas de beaux jours, c'est nos hommes :
Notre vie, c'est se taire, se soumettre, accepter toute
cette souffrance, nous sommes femmes !
Ils ont les oreilles bouchées, comptent l'argent du
mois,
Le ciel de nos hommes est humide il pleut sur la
France !
C'est ça nos hommes.

Notre vie c'est construire le jardin de la servitude,
nos enfants.
Ils ont le regard fier si c'est des « ils » ces enfants
et remercient Allah le grand.
Mais si ce sont des « elles », l'orage éclate.
C'est ça nos hommes.

Notre vie de Fatma, c'est travailler docilement
vingt-quatre heures sur vingt-quatre.
Ils nous glorifient en nous offrant le titre de mères
et de sœurs.
Notre cadeau, c'est une maison garnie avec de l'or.
Femmes sans âmes, il y a trop d'hommes comme ça...

Pourtant, ils s'appelaient :
Mohamed,
Ahmad,

Habib,
Djamal,
La France les avaient accueilli dans Paris tout pourri,
Ils cassaient le macadam en regardant les jolies
dames de Paris tout pourri.

Ils s'appelaient :
Mohamed,
Ahmad,
Habib,
Djamal,

Comme d'habitude,
la solitude les rongeait,
le patron les grondait,
ils broyaient du noir,
tous les soirs,
dans Paris tout pourri,

Ils s'appelaient :
Mohamed,
Ahmad,
Habib,
Djamal,

Et moi, je passais, je m'appelle Sakinna,
Ils me sifflaient, m'insultaient de putain,
mais je regardais dans leurs yeux,
et je lisais la blessure d'un voyage en exil,
tendresse laissée au Pays,
Sourire éteint par l'exil

Ils s'appelaient :
Mohamed,
Ahmad,
Habib,
Djamal,

J'apercevais dans ces yeux, la lumière sombre du
désespoir de mes frères,
Et je découvris soudain que nous étions des Arabes

Immigrés dans Paris tout pourri où la France nous a accueillis.

Fin janvier !

J'ai un mal de tête, pas d'allumettes pour allumer le petit camping gaz. Privée de faire mon repas qu'est ce café soluble, que j'ingurgite en guise de bouffe. Mon loyer a augmenté, cette valise noire qu'est ma chambre coûte maintenant 400 F + 50 F de charges. Le chômage a diminué, je reçois 1 000 F pour le mois. Ainsi en enlevant les 450 F pour la valise noire, il me reste 650 F pour vivre.

Je crains pour ma santé, j'ai mal aux dents, j'ai mal aux poumons, j'ai mal au crâne et j'ai mal au cœur. Mon cœur souffre d'une douleur sentimentale, je suis amoureuse. C'est un Arabe comme moi, je ne le connais pas par moi, mais par les autres. Il est, paraît-il, assez phallocrate, ça fout un mur, j'ai horreur de la sauce phallocrate. Le mur, c'est l'amour.

Pourtant je me dis que je l'aime, mais je le déteste en enlevant le côté sentimental dont souffre mon cœur. Qu'est-ce qu'est le physique, si je devais m'arrêter là, je me ferais baiser la gueule. Je ne veux plus, et surtout de la part d'un mec.

Il est onze heures du soir. Et dans tout ça, je ne peux même pas fumer une de ces sales blondes, n'ayant pas une allumette pour le plaisir de m'intoxiquer. Je m'en fous, je vais m'coucher, j'écoute Colette Magny « Répression ». Et après, je vais me jeter dans ce lit de la solitude de tous les soirs, de toutes ces nuits sans chaleur, j'ai la crève ! Et suis épuisée de penser. I Got The blues ! C'est je crois comme la rage de vivre.

Février 1980 !

Cours d'arabe. J'ai prêté la Chrysalide à Hamid. Il m'annonce qu'il n'est pas phallocrate. Il dit qu'il est pour la libération des femmes. Sourire sarcastique de ma part, je reste sceptique à son égard. Ce ne sont que des paroles qu'il dit, quant aux actes, je ne sais pas si c'est pareil. Il est beau ce type, comme des millions de frères arabes.

Chevelure noire, regard profond, teint mat, mais malheureusement ce n'est que du physique, et ça trompe. Pourtant, j'en suis amoureuse, mais mon amour est impossible, pratiquement platonique. Pourquoi ? Je ne peux l'expliquer.

Je commence à faire du théâtre avec le « Théâtre de l'Opprimé ». C'est Auguste Boal, un Brésilien qui a créé cette nouvelle forme de théâtre : le théâtre populaire.

Mais y a qu'des intellectuels véreux de gauche. Et déjà je les hais. Ils jouent les opprimés, mais n'oublie pas, cher X., que nous ne sommes que dans la comédie trompeuse de ces frustrés, profs en majorité. Ils jouent les libéraux. Alors ils portent des sacs orientaux, des vestes de travail noires. Ça fait opprimé. Je ne suis pas du tout intégrée dans leur troupe. Je sens leurs fausses relations. Mais vois-tu, cher X., ce sont des malades. Ils confondent le théâtre avec la réalité. Ce sont eux, qu'on voit dans les cinés intellectuels, ils se masturbent entre eux sur les causes de gauche et pourtant, ils ne sont pas sincères. C'est en regardant leur vie civile que je m'aperçois de leur hypocrisie. Ils ont des marques. Chez eux, la Portugaise ou l'Arabe fait le ménage. Ils lui font des sourires, lui donnent les habits qu'ils ne veulent plus mettre. Le pire, c'est qu'ils croient être de gauche en faisant du sentimentalisme orientaliste. Je leur cracherais sur

60

le visage, sur leur façade trompeuse. Oh ! Boal
Augusto n'est plus Boal.
Je rêve de faire une pièce de théâtre sur la femme
arabe. Mais leur dire, impossible. Ils aiment prendre
le rôle de l'Arabe opprimé, ça leur chatouille les
boyaux de la prétendue conviction, ces salauds, je
leur offrirai pas c'plaisir. Ils sont syndiqués à la FEN,
CFDT ou CGT, je les hais. Ces instits de gauche et ces
profs, ces malades mentaux qui confondent le livre
avec la vie des prolétaires. Croient avoir compris
quand ils jouent... J'ai acheté le livre de Djamila
Olivesi : « Les enfants du Polisario... ». C'est quoi le
Polisario ?

11 février 1980

Journée triste, je vais à l'ANPE, pour un boulot que
je ne trouverai pas. Je rencontre Bagdad et le
Chaoui, deux copains. Ils sont raides et s'emmerdent.
Ils ne cherchent même plus de travail, laissent le
temps et la tristesse couler à travers des joints. Et du
café au Café.
La troupe Lemchaheb va venir à Dijon. On les
attend, car on va retrouver l'ambiance des fêtes
arabes. Ouf ! C'est une troupe marocaine qui fait
de la musique populaire. Ils émanent de Nass El
Rhwiwane, la troupe marocaine la plus célèbre dont
le chef est mort au Maroc dans des circonstances
bizarroïdes.
Cinq heures ! Café de la Cathédrale. Rendez-vous
avec Ahmad, un Algérien qui est là depuis très longtemps. Seul à Dijon. Famille en Algérie, venu en
France pour gagner sa vie péniblement comme nous
tous, les autres immigrés (ées). J'essaie de parler en
arabe, j'y arrive pas bien, mais je me débrouille et
Ahmad saisit mes mots (merci professeur Hamid). Il

61

ne comprend pas que je discute avec les mecs français, pense que je les trouve mieux que les mecs arabes. Très dur pour moi de lui expliquer, je lui fais comprendre comme je peux, mais je crois que c'est impossible. Cela fait partie d'un mur épais qu'il y a entre les Maghrébins et les femmes maghrébines libérées. Croient qu'on les renie, qu'on rejette notre peuple, peuvent pas comprendre pourquoi on veut se libérer de l'arriérisme dans lequel nos sociétés veulent nous laisser pourrir.

Lui, il a le droit d'aller avec qui il veut. Il sait Ahmad que la virginité c'est une affaire de femme, mais, pour lui, c'est l'honneur du frère, du père, du cousin, de l'oncle, du p'tit frère et pourquoi pas du chien masculin.

Poème de femme immigrée que je suis. Femme dans une cage HLM. Grésilles - Chenôve,...

Je restais à la maison, toi tu allais au café,
Tu buvais de l'alcool, tu draguais les filles de France,
moi je ne savais pas, je restais enfermée, et je t'attendais.
Tu m'oubliais vite, tu portais le costume, c'est moi qui le repassais, je gardais la djellaba, je sortais juste pour les commissions, le lavomatique, et j'emmenais les gosses que tu m'as faits à l'école.

Oh ! Mon amour, pourquoi ce noir soleil ?

Tu disais aux filles que tu étais célibataire, Italien, ça faisait mieux, et tu disais qu't'avais beaucoup d'argent,
moi pendant ce temps, je lavais tes bleus de travail pleins de goudron.
Tu fumais des blondes, tu offrais des pots à la première qui passait à côté de toi. Tu te faisais avoir, mais t'y croyais à ces filles qui ne t'aimaient pas.

Oh ! Mon amour pourquoi ce soleil noir !

Je ne parlais pas français, toi tu parlais un peu cette langue qui nous faisait monter les larmes aux yeux, cette langue si dure avec nous Algériens, cette langue de la rage, de la tristesse que nous survivions. Je n'en pouvais plus dans cette cage HLM Grésilles - Chenôve...
Toi, tu ne savais pas, tu sortais le samedi soir dans les boîtes avec Sidi de la cage voisine. Tu jouais la comédie, moi, je couchais les gosses et je faisais des cauchemars dans ce lit grinçant et froid.

Oh ! Mon amour pourquoi ce soleil tout noir !

Tu rentrais très tard, tu me secouais méchamment et tu me prenais de force.
Ta bouche sentait l'alcool interdit par notre Prophète, je te traitais de mauvais musulman.
Tu me frappais, les gosses se réveillaient et pleuraient à leur tour.
Tu les cognais, les voisins réclamaient, tu criais que je ne suis qu'une putain, que les Français étaient tous des cons, que c'était de leur faute.

Oh ! Mon amour, pourquoi tout ce soleil noir !

Prends tes enfants, ton fils, ta fille et ta femme. Emmène-nous au Pays du vrai soleil, celui qui était jaune. Si tu ne veux pas qu'on se meure dans cet enfer sombre qu'est la France des Francaoui et n'oublie jamais que nous sommes les enfants de Boumédienne...

1er mai 1980

Je me suis achetée une robe importée du Maghreb. Je suis devant ma glace et je porte ma robe. Elle est rouge, bleu, rose, vert, oh ! couleur du rêve de ma patrie. Mais j'ai aussi mis un voile noir, pour embellir mes yeux, je les ai maquillés avec du khôl. Je traverse avec tout, ma cape, ma robe, mes yeux noircis et ma fierté d'être femme arabe, la rue de la Liberté. Les gens me lancent des regards soit émerveillés, soit dégoûtés, mais les réflexions que l'on m'envoient sont extrémistes. J'entends : ça va l'Iran ?

— *Khomeyni, Khomeyni,* je ne suis pas étonnée car récemment, en 79, Khomeyni a fait tomber le shah grâce au peuple iranien qui lutta avec acharnement pour retrouver sa dignité.

Je commençais à prendre conscience que malgré l'oppression que nous subissions dans les pays islamiques, devant les Français il valait mieux ne pas dénigrer notre race et la religion, ils seraient bien trop contents que nous, les loups algériens au cœur d'agneau, nous nous bouffions. Je ne réponds pas à leurs réflexions car je sais que Khomeyni les a bien eus à Neauphle-le-Château. Je n'ai que vingt ans mais j'en suis consciente. La rue de la Liberté, c'est la traversée du désert ! J'aperçois les rires de mes propres frères arabes qui passent près de moi en costume occidental. Mes frères déracinés, qui, pourtant, lorsqu'ils sont arrivés en France, cette « autre France » (Ali Ghalam) qui les a acculés à passer de la djellaba au bleu de travail ont dû ranger ces djellabas au fond des tiroirs. Ce ou ces tiroirs des souvenirs arabes. Pourquoi rient-ils mes frères ? Je les défends devant les Français, même s'ils ont tort, c'est un principe. Mais eux, ils rient de honte de ma tenue. Mais qu'est-ce qu'elle leur rappelle de si mal pour qu'ils se foutent de ma gueule ?

2 mai 1980

J'ai acheté le livre d'Aïssa Djebar « Femmes d'Alger dans leur appartement ». Je ne sais pas quel terme utiliser pour exprimer l'accroissement de ma révolte en tant que femme musulmane arabe d'Algérie. Oh ! Aïssa ! Un jour, un jour viendra, le jour où nous pourrons traverser toutes les rues d'Alger en criant les cris des you you you. Mais ces cris ne seront plus des cris de femmes soumises au foyer. Nous serons libres (Hourr) (1). Oh ! un jour cessera la pluie dans laquelle nos yeux de prisonnières sont noyés. Nous ferons l'amour avec la liberté, ainsi nous la conserverons mieux, bien au chaud. Toutes, tous, nos frères ouvriront leurs yeux qu'ils ont tant fermés. Alors ce jour-là je croirai à : salam (2).

3 mai 1980

J'ai travaillé à Sombernon. Et là, j'ai connu une femme marocaine. Une femme fille, Naïma. Elle a dix-huit ans, est arrivée du Maroc il y a deux ans. Naïma vit chez ses parents, enfin chez son père. Sa maman n'est pas sa vraie maman. Malika, c'est sa belle-mère. La véritable maman de Naïma est morte au Maroc. Naïma me raconte ses problèmes et moi je me sens dans sa peau. Quand sa maman est arrivée, enfin sa belle-mère Malika, avec son papa, Malika partait en ville, elle fermait à clef la porte. Mais dans la maison, il y avait Naïma. Alors, elle restait enfermée. Un jour Naïma se décide à réagir. Quand la maman et le papa de Naïma lui demandent qu'est-ce qui lui prend, Naïma leur ment : « Je vais chercher du

(1) Hourr : libre.
(2) Salam : paix.

travail pour vous aider à vivre ». Hésitation du père qui ne croit pas sa fille, puis il cède.

Naïma découvre, pour la première fois de sa vie, les rues de France alors qu'elle a dix-huit ans et demi. Elle s'en va chez une assistante sociale. Elle lui explique tous ses problèmes, sa vie, elle lui raconte qu'elle est une femme musulmane dans un monde cloîtré et qu'elle vit dans la misère. L'assistante sociale lui demande son âge « dix-huit ans et demi ».

— « Mademoiselle je suis désolée mais en France vous êtes majeure, on ne peut rien pour vous ». Naïma insiste et lui fait remarquer qu'elle ne peut plus continuer à vivre humiliée. Elle lui dit qu'elle étouffe, elle veut mourir plutôt que retourner dans cette grande prison où elle survivait, jusqu'à ce qu'elle ait fui. Rien à faire Mademoiselle. L'assistante sociale ne sait quoi dire. Naïma part de son bureau les larmes aux dents.

Naïma ne sait pas bien le français. Elle n'ose pas s'exprimer. Elle sait qu'il lui manque des mots importants pour se faire comprendre. Moi, on ne m'a pas appris grand-chose à l'école des Français à Mulhouse, mais je peux comprendre, vu que je suis née dans ce pays. Je ne parle pas bien le français, mais, en transition, j'ai appris l'argot.

Je saisis bien Naïma.

Au travail, elle ne cesse de se faire engueuler par Milou, un ouvrier de mon pays, qui joue le chef. Il la traite comme un chien. Il lui parle en français alors qu'il comprend bien l'arabe. Moi je ne peux pas bien m'exprimer dans ma langue, mais j'essaie de tout mon cœur de parler avec les mots que je connais.

Le soir !

J'ai quitté Naïma après le boulot, c'est un jeudi, il est huit heures du soir et je suis à plat. Pourquoi moi, Naïma, on est exploitées pendant que d'autres roulent sur l'or ? Pourquoi, pourquoi moi, elle... ?

Je suis sale, l'engrais m'esquinte, ma salive est sombre

comme mes yeux mouillés par les larmes de la haine de ce monde injuste.

Vivement demain. Je reverrai le cours d'arabe, Hamid que je crois aimer. Hamid que je critique toujours parce qu'il vient de la bourgeoisie marocaine. Il n'a jamais vu la misère d'un bidonville. Hamid aux yeux noirs qui m'apprend l'arabe. Je veux avoir ma langue dans mon cœur. Je prends de plus en plus conscience que la civilisation occidentale n'est pas la mienne. Je suis orientale, je fais partie d'un peuple arabe. Je me sens de plus en plus exilée, déracinée, l'arbre de ma culture fleurit en moi. Ma révolte, c'est des fleurs qui poussent lentement. Comme les vingt-huit lettres arabes, vingt-huit boutons d'or que je coudrai les uns après les autres dans ma mémoire d'immigrée femme arabe. Oh! Si seulement les Français pouvaient prendre conscience que notre culture n'est pas une culture inférieure. Nous sommes Arabes noyés dans l'interdit français. Je me souviens quand j'étais petite, j'allais à l'école maternelle. Je portais des longues nattes baignées dans le henné que ma mère mettait à mes sœurs et moi, surtout pendant les fêtes. La maîtresse détestait les Algériens, alors quand elle a vu que mes mains étaient orange, lorsqu'elle a fait le contrôle des mains des élèves dont je faisais partie, elle m'a dit : « Dehors, va me laver ça ». Je n'arrivais pas à enlever le henné, je ne comprenais pas pourquoi ma mère nous mettait ça, alors que les autres enfants qui étaient Français, ne portaient pas ce produit. Plus jamais pendant ma petite enfance, je n'acceptai que ma mère me mette du henné. Je croyais que c'était la couleur arabe. J'avais honte de mon origine.

En pensant à des mauvais souvenirs comme celui-ci, ça me donne envie de renier les Français sur tous les plans. Maintenant je sais que nous avons un patrimoine culturel très riche dans lequel l'Occident a pêché une grande partie de sa propre culture. Honte à ceux qui nous ont humiliés, je ne les laisserai plus faire. Je porte le henné comme un tampon, une marque d'identité, même si ça les gêne. J'ai un sentiment d'amertume, de dégoût de cette patrie française dans laquelle, je m'en rends compte, ou nous a acculturés. Je suis immigrée. Ils disent que je ne suis plus arabe, que je fais partie de la deuxième génération. Non ! Je refuse. Je suis Algérienne. Mon père est venu, un jour, sans le souhaiter, en France. Il a immigré pour gagner sa vie, mais pas pour qu'on lui bouffe ses enfants.

Je vais au cours d'arabe, je dessine ma langue et je hais de plus en plus la langue coloniale que mes frères du pays avec moi, ont été obligés d'apprendre au détriment de notre langue arabe.

Pourquoi nous haïssent-ils, eux n'ont pas voulu que les Allemands piquent leur pays. Eux, ils étaient les Français libres ? Eux... Ils nous ont colonisés. Double honte à ceux qui colonisent et parlent de démocratie.

4 mai 1980

Ma santé physique va de moins en moins bien. Mes problèmes financiers s'accroissent. Chaque jour tourne, comme chaque larme de mes yeux coule pour me soulager, vider ce bol plein qu'est mon cœur rouge, rougi par la vie de plus en plus noire. Et pourtant, je me dis qu'il ne faut pas craquer, qu'au contraire, il faut se durcir pour pouvoir conserver la force de lutter contre toute l'oppression qui s'exerce, non seulement sur moi, mais sur des milliers d'individus de ce monde sombre. Parfois je me console en lisant certains livres sur la misère la plus misérable. J'ai lu le livre de Domitila « Si on me donnait la parole ». Chaque page ouvre ma conscience et devient une vitamine, un stimulant nécessaire au combat que je devrais mener contre les injustices les plus injustes que subissent des êtres humains, que la junte militaire détruit par les armes. Quand je lis Domitila, mon cœur saigne avec elle, bien que je n'ai pas vécu en Bolivie. Je me jure que jamais je ne vendrai ma peau contre l'argent du flic, jamais je ne renseignerai les autorités contre l'innocence des peuples en lutte. Domitila ne parle pas dans le vide intellectuel. Elle a vécu des situations terribles, dans cette Bolivie où le peuple, le cri du peuple vient de la mine, du bidonville, de la souffrance, du sang et non des villas des riches. Ah ! j'arrache le masque de cette France de Giscard d'Estaing et de tous ces salauds qui acceptent passivement que des peuples meurent.

Que croyez-vous, Français ? Qu'au Maroc, au Chili, en Palestine, en Algérie, en Tunisie, en Guadeloupe, en Afrique du Sud, ces pays que vous imaginez pleins d'exotisme, ces pays où vous cherchez de la couleur vive, croyez-vous Français qu'il fait chaud « là-bas » ?

Derrière ce soleil qui fait bronzer vos peaux blanches, Français, savez-vous ce qu'il y a ? Et bien, il y a des nuages noirs partout, la pluie coule, coule, coule, à gros flots. De ces gouttes de larmes, on pourrait en faire des fleuves de sang, des mers de sang. Vous, pendant ce temps vous vous battez pour les trente-cinq heures.

Et nous immigrés, nous espérons, nous espérons docilement que vos syndicats nous soutiendrons. Moi, je vous regarde vous bouffer le nez dans des discussions de café où CGT et CFDT s'insultent élégamment. Je vous regarde à la télé, gauche, droite et je ne comprends qui est à gauche, qui est à droite. Quand je vais chez vous, amis de gauche, j'aperçois la dernière cuisinière Martin, c'est vos femmes qui font tout. Quand je vois votre désunion, comment vous croire ? Le syndicat est divisé, les manifestations du 1er mai sont divisées en groupe de trente-six tendances ? Comment croire à vous, gens de gauche ?

Et vous, gens d'extrême-gauche, quand je suis avec vous, je vois que vous n'avez jamais connu l'usine ?

Dirigeants sectaires, je ne comprends pas votre dialectique, mais je sais que vous lisez beaucoup. Mais qu'est-ce que c'est que lire quand on n'a jamais vécu ? C'est trop facile de lire, participer à des débats, et toujours c'est vous intellectuels qui prenez la parole. Vous n'écoutez que ceux qui ont le savoir en poche. L'ouvrière comme moi qui essaie de comprendre, vous lui souriez à la gueule en lui faisant comprendre que « t'as pas la parole, faudrait plus lire, bon t'as un vécu, mais t'as pas un titre, donc ouvrière, syndique-toi mais marche derrière, écoute-nous, nous, nous avons vu les universités, nous savons la dialectique et nous comprenons le mouvement ouvrier, toi ?... »

Oh ! Gens de gauche, parfois, je me mets, en vous voyant, à préférer l'ennemi de droite, car lui au moins je sais le situer. Vous, je ne sais plus. Oh ! Que la droite est heureuse quand elle voit la gauche se bouffer. Elle est heureuse, la droite de manipuler tant d'ouvriers ignorants que la gauche par trop de discours illusoires, ne peut attirer dans son rang. La droite, elle permet à l'ouvrier de jouer au tiercé, au loto, elle lui parle avec le langage populaire. Ça plaît à Monsieur Dupont d'entendre : « Y en a marre des Arabes, dehors les immigrés ». C'est mieux pour lui que d'entendre « Camarade viens te joindre à nous »... Et moi, dans tout ce méli-mélo, qui dois-je croire, moi l'immigrée sans papiers... L'immigrée femme de la deuxième génération, comme ils disent les bonnes gens de la gauche française. Ceux qui prétendent nous avoir permis de jouir de deux cultures. On nous a refoulés au fond des classes de transition, on nous a dit : « Vous, vous ne pouvez pas vous adapter » et maintenant qu'ils savent l'ampleur de notre drame, ils se rattrapent en disant : « Vous êtes la deuxième génération, vous êtes nés ici, vous êtes donc un peu chez vous ici ». Je les hais, ceux qui disent que nous faisons partie culturellement de la France, cette terre amère où on nous a arraché notre vraie culture. Maintenant, nous faisons partie de la deuxième... les clowns à leur service quand ils ont besoin d'exotisme. Leur Patrie...

Je suis Algérienne, colonisée culturellement, mais je ferai tout pour retrouver mes racines. Si je les appelle, elles m'appelleront. Je cherche des vraies racines, pas celles que me proposent les Arabes. Ils veulent que je prouve mon arabité en me cloîtrant. Jamais. Je cherche la vraie culture arabe qu'eux-mêmes ne connaissent pas. Je ne veux pas respecter l'honneur du père, ni du frère. Je suis Arabe.

Je vis dans un pays obscur qui s'appelle la France. Un pays où mes frères de sang et mes sœurs de sang sont les Fatma et les Mohamed couscous. Pays qui colonise en Guadeloupe, en Martinique, les Noirs, pays qui réduit des pays noirs ou arabes, en départements. Nous sommes nés en France et alors, pourquoi sur notre papier il y a écrit « Ressortissant Algérien » ou Français par obligation « loi de 73 ». Honte à ces mécréants.

Une minorité de Français nous soutient sincèrement. Les autres, ils exploitent nos mères qui leur servent de bonniches dans leur foyer plein de livres, et ils se permettent de crier non au racisme. Ces profs de gauche... Combien sommes-nous d'immigrés (ées) à prendre réellement conscience de nos problèmes, enfin des problèmes qu'ils nous causent ? Combien d'Arabes acceptent que leurs sœurs luttent ? Pourquoi sommes-nous divisés ? Pourquoi nos frères qui sont nés au pays nous rejettent-ils et comme les Français, pensent que nous ne sommes pas de vrais Arabes. Pourquoi pensent-ils que nous, les filles immigrées, nous sommes des putains ?

Ma tête est lourde, je sens toute notre faiblesse : nés ou pas nés dans cette patrie coloniale, nous sommes des boucs émissaires et on nous accuse d'être les responsables du chômage, d'être les salisseurs et les salisseuses de la France, mais que pouvons-nous faire, divisés comme nous le sommes en 1re et 2e génération ?

Les lois nous attaquent de plus en plus, ils ne veulent plus de nos parents, tous ces Mohamed qui sont nos pères et qui leur ont cassé le macadam, construit leur résidence sans en avoir jamais goûté la couleur, tous ces bougnoules que sont nos pères, ils veulent soit les exploiter, soit les expulser. Même les gens de gauche, quand ils ont un homme arabe ou une femme arabe à leur service, veulent indirectement moins le payer.

Ils ne veulent plus de la classe ouvrière arabe. Nous étions un jour des gens de la terre, nous sommes devenus à cause de la France les gens de la pierre.

Les étudiants arabes que je connais, en majorité me méprisent. Ils me traitent comme une étrangère. Les Françaises, ils les respectent. Elles, elles sont baisables, oh ! quel respect. La fille immigrée, ils la méprisent car elles rappellent leurs sœurs d'origine, qu'ils ne voudraient pas voir comme ça, c'est-à-dire qui fume, sort, fait l'amour avec une gueule de chez eux. Souvent, ils viennent de la bourgeoisie arabe. Ils jouissent de privilèges que nous, les immigrés, on ne reçoit pas. Ils viennent pour faire leurs études, boire de la bière dans les campus, et baratiner les Françaises. Après, ils repartent chez eux, vont retrouver les traditions et bourrer d'interdits leurs sœurs. Ils prônent à nouveau l'islam et se font petits devant leur mère qu'ils trahissent par derrière. Ils font du sentimentalisme à l'égard des travailleurs de leur pays, utilisent un langage faux à leur égard et les traitent comme de vieux enfants. Pour moi, ce sont des êtres néfastes pour la révolution arabe.

Autochtones, immigrés, toute une différence, qu'ils ne tolèrent pas. Entre la sœur autochtone et la fille immigrée, ils ont créé un fossé. Ils ont peur de nous, de nos aspirations à la liberté. Je ne savais plus ce que j'étais. Mais je savais que les étudiants arabes dont j'avais fait la connaissance, me rejetaient. Pour eux, comme pour les Français, je n'étais ni Arabe, ni Française. Je me rappelle : nous étions allés au premier moussem organisé par l'Association des travailleurs marocains en France. Nous étions dans une grande salle dans laquelle le moussem s'est déroulé. Cela se passait à Génevilliers. Les étudiants de Dijon se fichaient de ma gueule. Je portais une tenue qui ne convenait pas aux normes de leur société dite arabe. L'un d'eux, Nordine me fit une réflexion devant Anne-Marie et Catherine, deux Françaises qui s'intéressaient sincèrement à la culture arabe. Il m'a dit : « De toute façon, tu n'es ni Arabe, ni Française. » Alors je lui ai demandé ce que je suis. Il m'a répondu : « Tu n'es rien. » Les Arabes que je connaissais voulaient que je danse pour se foutre de moi, qu'ils prénommaient l'immigrée. Les Françaises, ils les toléraient plus que la femme immigrée comme moi, car elles, elles avaient une culture même si c'était la culture occidentale, mais au moins elles venaient d'un pays ! Moi, je n'étais de nulle part. Ou peut-être d'une diaspora.

J'ai beaucoup souffert dans ce moussem. J'avais dansé sans honte pour leur en foutre dans la vue à ces arriérés de la gauche arabe. Je souffrais d'un handicap, celui de ne point pouvoir leur dire ce que je pense en arabe. Pour eux, j'étais un cas. Dès lors qu'une femme ne reconnaît plus son infériorité, ils la considèrent comme malade, marginale.

Au retour, je me souviens que l'un d'entre eux, m'accompagna dans sa voiture. Il me fit des avances. Il était militant de cette association, marié à une Française. Les filles de la deuxième génération, à ses yeux, n'étaient que des putes. Donc, il pensait qu'il avait le droit de demander à une pute de baiser. En plus, avec une « pute » comme il disait, une pute arabe, n'avait pas besoin d'être payée car elle était indirectement inférieure à une pute française.

Vraiment je souffrais. Je prenais conscience que

les Arabes et les Français nous méprisent. Je prenais gentiment conscience que j'étais « Nationalité immigrée ». Oui, nationalité, l'immigré, l'immigrée. Ni Français, ni Arabe. Les étudiants arabes riaient de moi quand je leur disais que j'allais voir mon pays l'Algérie. Ils riaient de voir une immigrée qui désirait revoir sa patrie l'Algérie. Oh ! me disait-on au visage, tu n'y iras jamais, tu ne parles pas l'Arabe, t'es comme les Françaises, tu fumes.

Et eux, ils étaient membres du parti unique algérien. Ils venaient d'une patrie socialiste pour préparer des thèses de troisième cycle. Eux, ils riaient des immigrés et riaient plus des femmes.

Ils me paraissaient frustrés, je n'aimais point l'expression qui émanait de ces visages blêmes.

Je passais l'année à traîner au restau universitaire. Ce n'était pas cher. Un ticket de repas, 5,40 F. Je devenais parmi ces gens d'un milieu social différent, de plus en plus seule. J'étais chômeuse, eux, étudiants. J'étais immigrée, eux Arabes.

J'en voulais de plus en plus à ceux qui ont fait émigrer mes parents. Je croyais de plus en plus que nous n'étions que des individus qui marchent à cloche-pied sur deux cultures. Je souffrais beaucoup.

Je n'écoutais que de la musique arabe, je ne comprenais pas les paroles. Mais je me forçais à comprendre le minimum. Je suivais mes cours avec assiduité. Je n'avais plus le choix. Mais la langue que j'apprenais n'avait rien à voir avec l'arabe de ma terre. C'était de l'arabe classique. Tant pis. Je souhaitais redevenir une vraie Arabe. Malgré les confrontations que j'avais avec les Arabes, dans le fond je pensais qu'ils avaient raison. Je n'étais qu'une immigrée inférieure sur tous les plans. Ma scolarité était un jeu d'échec, ma tenue n'était pas arabe, je ne comprenais rien à l'islam. Je n'étais que nationalité immigrée.

Je ne supportais plus le milieu dans lequel l'on m'avait emporté, telle une vague fragile. Je pensais aussi que j'étais victime d'un manque : mon identité culturelle. Je me sentais rejetée par les Français et par les Arabes autochtones. Ceux qui ne sont pas immigrés. Ceux qui me regardaient comme une étrangère. Ni Arabe, ni Française.

La vie m'ennuyait, la France me dégoûtait ; ainsi en 1981, je décidais de prendre la valise, et de laisser la clef de ma chambre au propriétaire. Je voulus mettre un point à ce handicap culturel.

Je partis un mois après que les Israéliens restituèrent le Sinaï aux Egyptiens. Ils étaient d'accord entre eux, pendant que nous immigrés, nous devions nous confronter aux Arabes. Peut-être étais-je tout simplement sous-palestinienne. La réponse me disais-je, l'Algérie me la confirmera. En tout cas, je ne voyais plus que mon pays dans ma tête. Je décidai de prendre le bateau pour l'Algérie. C'était le mois de mai. J'ai pris le bateau Tassili qui se trouve à Marseille. Il n'est pas cher, c'est fait pour les pauvres.

Le bateau était encombré de marchandises et d'immigrés pour la plupart hommes, moi avec ma copine Hamida, nous étions les seules femmes. Deux jours de voyage pratiquement à jeun. J'étais heureuse car j'allais découvrir ma plus belle illusion, mon phantasme, mon rêve, l'Algérie. La colombe rouge, verte, blanche, comme le drapeau, la colombe Alger qu'ils appelaient la blanche.

J'étais fière de mon courage. J'arrivais à la douane et j'étais contente de porter un passeport vert. Même si je ne parlais pas l'arabe, cela était sans importance à la douane. J'étais Arabe, Algérienne avec un Jawwaz Akhdar (1). Donc je considérais que ces éléments étaient suffisants pour être bienvenue fi l'balad « dzair ».

Stupéfaction : je voyais que les douaniers divisaient les immigrés, des Français. On nous disait de reculer, pour laisser passer les Français. Ces Français qui coopéraient, m'avait-on dit, avec les Algériens. Peut-

---

(1) Passeport vert.

75

être étaient-ils plus importants que nous ? Ils portaient des devises en grosses quantités et des diplômes. Tandis que nous, nous avions comme ressources des cartons, et des yeux cernés. Nos gueules ne revenaient-elles pas aux complexes du colonisé algérien ? J'étais folle de rage mais, ne disais rien par peur d'être embarquée sur-le-champ. Les douaniers étaient peu accueillants avec les immigrés. Ils lançaient nos valises vulgairement, après les avoir fouillées de fond en comble. Ils faisaient une croix dessus et criaient : « Yala Amchi » (1). Quant aux Français, ils leur faisaient des grands sourires en leur souhaitant la bienvenue et un bon séjour en Algérie, enfin dans la république algérienne démocratique et populaire.

Un taxi jaune nous emmena après que nous ayions attendu une heure sous la pluie. Nous décidâmes de rejoindre le centre-ville à pieds. Nos sacs de voyage étaient lourds.

J'étais émerveillée par les rues qui se déhanchaient de haut en bas. J'étais effrayée par la vue des femmes qui portaient un voile blanc. Je pensais que peut-être moi aussi on me dira de le mettre. Les femmes marchaient soit à côté des hommes, soit derrière. Je ne vis pas un couple se donner la main. Je m'aperçus tout de suite de ça. Je ne comprenais pas. Nous arrivâmes à la cité universitaire Ben Aknoun. Moi, je dus entrer en cachette. J'appris par Hamida que lorsqu'on n'était pas étudiante, on n'avait pas accès à la cité universitaire. Il est strictement interdit de pénétrer dans ce lieu pour y dormir ou visiter des amies. Ami avec ie, car la cité n'est pas mixte. Les hommes, étudiants ou non, n'ont pas le droit d'entrer dans la cité des femmes.

Je pus connaître les amies d'Hamida. Elles étaient également immigrées. Mais étudiantes. Ce qui leur permettait d'avoir la possibilité d'être logées en Algérie. Théoriquement, j'étais sans abri. Sans famille, seule. Heureusement, Hamida était là pour me sauver

_____

(1) Allez avancer.

d'une horrible situation que je n'aurais jamais imaginée avant mon départ. La prostitution. C'est pour cela que riaient tant les étudiants algériens autochtones, quand je leur disais que j'allais seule en Algérie. Ils connaissaient mon sort. J'ai compris que je n'étais pas à leurs yeux une fille de famille. Et que la rue était mon destin. Je n'avais pas qu'à être une immigrée qui vit seule. Cela voulait dire pour ces autochtones étudiants, que je devais être dans la norme. Je devais être une fille respectable, une fille de famille et non ce qu'ils appellent une fille de rue.

Quelle joie pour moi de découvrir mon pays par des femmes immigrées qui vivent en Algérie. J'ai pu confirmer des aperçus théoriques que j'avais et dont je n'étais pas sûre. A Dijon, j'étais souvent contredite par les autochtones d'Algérie. Ils prétextaient que je ne connaissais point mon pays pour juger de leur mentalité.

Maintenant j'étais heureuse, car quand je rentrerai d'Algérie je pourrai grâce à mon expérience, juger avec des arguments liés à cette expérience. Après avoir passé quinze jours difficiles dans cette Cité Ben Aknoun, où j'étais clandestine, et repérée par les agents de surveillance, après avoir supporté les propositions, les avances d'ordre sexuel, je décidai de partir pour la simple raison que je ressentais le besoin capital de découvrir la famille algérienne autochtone. J'étais avide de savoir quelle différence il y avait entre une famille algérienne autochtone et une famille comme la mienne, immigrée.

Un garçon très gentil, qui avait un petit restaurant où il vendait de la sardine uniquement, me conduisit à l'aéroport, après m'avoir offert l'hospitalité trois jours. J'étais en cachette chez lui. Il était militant dans la section de l'UNJA. Union Nationale de la Jeunesse Algérienne. Il voulait me prouver que malgré mes points de vue pessimistes concernant l'homme arabe en général, il y avait des hommes arabes valables. J'étais très méfiante. Pourtant, jamais pendant le temps que j'ai passé en sa compagnie, il ne m'avait emmerdée.

Il me laissa à l'aéroport pour prendre l'avion direction Constantine. « Quacentina » le nouveau nom de la ville décolonisée, la ville des ponts. De Quacentina, je me dirige vers Annaba où je vais passer trois semaines dans une famille algérienne très chaleureuse. Nous mangeons assis par terre, les femmes dans une pièce, et les hommes... dans une autre.

Il fait chaud, il règne une atmosphère agréable en cette période du Ramadan, le mois où tout musulman fidèle et en bonne santé, est censé jeûner. Je décide de jeûner bien que je sois à cheval sur des idéologies type marxiste, j'avais envie de savoir, de découvrir une nouvelle façon de penser dont j'étais ignorante. Je voulais savoir l'islam. Je suis dans une ville où il y a beaucoup de Rohan Mouslimin, frères musulmans. Ils prêchent la religion musulmane de manière radicale. Ils me font peur. On les reconnaît dans la rue. Ils portent une barbe sans moustache. Ils portent aussi une longue djellaba blanche et marchent spécialement. Il paraît qu'ils sont dangereux. Ils n'hésitent pas à commettre de terribles exactions à ceux qui s'opposent à eux. En cette année, il y a eu beaucoup d'émeutes au sein des universités. Théoriquement, j'ai appris par le livre, que l'islam appelle à la miséricorde et aussi à la clémence. Or, ces gens-là ne prêchent que la miséricorde.

Nous sommes musulmans, nous sommes soumis. Ah, je ne me rendais pas compte qu'aux yeux des gens de mon pays, j'étais soit soumise, soit marginale. Annaba, ville fascinante où les ruelles se chevauchent les unes les autres. Je me dirige en direction du Hamam avec Fatma. J'ai dans mon sac, un gant de crin, une serviette, du savon. En France les gants de crin et le hamam sont un luxe.

Le hamam est très beau, il est rose. Les femmes me jettent des regards si étranges que je me sens étrangère. Pourtant ce milieu est censé être le mien. Je porte un pubis non rasé, elles sont choquées et elles ne me parlent pas. Elles rient en se mettant la main devant la bouche. Je ne dis pas un mot, une peur m'envahit. Je crains qu'elles découvrent que je suis immigrée. Je réponds aux sourires et joue la muette. Pourquoi pas. Elles pourraient croire que je suis sourde et muette. Ça m'arrangerait. Je subis un tel complexe, celui de ne point connaître ma propre langue. Je suis les séquelles du colonialisme, nationalité immigrée. Je sors du hamam fatiguée par la chaleur que dégage la vapeur d'eau chaude. Fatma parle bien l'arabe, et bien le français. C'est une femme très malheureuse, que sa famille rejette. Je me lie d'amitié avec elle. Elle est employée de bureau dans une entreprise qui a des relations de coopération avec une entreprise allemande. Elle est très réservée et garde ses souffrances comme un fardeau sur le cœur. Elle me raconte ses malheurs d'enfance. Elle faisait le pain, la cuisine, la vaisselle et le ménage dès onze ans. C'était la Cosette de la famille, celle qui payait le prix des fautes commises par ses sœurs, qui étaient étrangères à toute compréhension.

La mère décida de la fiancer à un cousin, un monsieur de trente-cinq ans. Elle me le présenta. Je ne me souviens pas comment il s'appelait, car je lui donnais très peu d'importance. Il était gros et aussi gonflé que son autorité. Chaque jour il se pointait pour emmener Fatima au travail. Dès le matin on apercevait sa gueule devant la porte. Crois-moi X., ce n'était pas un service qu'il rendait à Fatma. C'était un signe de domination, il ne supportait pas l'idée qu'elle irait travailler sans sa présence. Je me souviens qu'il était très croyant, il priait et fumait rarement. Fatma était aussi très croyante. Elle était la clémence et lui la miséricorde. Il la faisait souffrir, lui faisant plus de mal que de bien. Comme j'étais pour lui Française, donc une femme qui sort, il décida de nous faire visiter la montagne. Vert, blanc, bleu, étaient les couleurs qui dominaient toute cette beauté sauvage. Bleue la mer, verts les arbres, blanches les maisons basses sans étages. Il y avait de l'eau fraîche. C'était important pour moi car on trouvait tout le temps l'eau coupée.

Je me sentais bien, je rêvais d'être aimée par le prince charmant que je rencontrais dans mes rêves. L'eau, moi, l'homme, ce fruit que l'on nous interdit dans mon pays. Moi, qui faisais des concessions silencieuses, moi qui était censée être soumise à la norme algérienne que les hommes attribuent aux femmes.

Je devais suivre cet homme qui se comportait comme le chef de la femme. Je commençais sérieusement à haïr cet homme s'il en était un, pour la seule raison, qu'en conduisant il suivait nos regards et particulièrement le mien. Il voulait savoir qui, Fatma et moi, regardions. Peut-être le fruit interdit ? L'homme ? S'il y en avait ?

Il s'arrêta en ville, sur la place d'Armes. Il nous acheta des glaces. Il jouait les durs. Nous reprîmes, les glaces dans la main, le chemin de cette maudite prison, qui était la maison quotidienne où ils nous obligeaient, tous ces « Ils », à survivre jours et nuits. Ah ! Ces glaces aussi glacées que le glacis qu'était ce type dont je ne me souviens plus du prénom tant je le haïssais.

Et pourtant, si mon cerveau détaché, réfléchissait un peu seulement, pour essayer de comprendre l'étranger de ma nationalité, de ma mère Patrie l'Algérie, l'étranger que je haïssais, tant il méprisait Fatma, je pourrais alors comprendre le pourquoi ! Mais le pourquoi de quoi ? Moi qui subissais cette fausse culture masculine, moi qui voulais tant lui dire à cet homme : « N'aimes-tu pas aimer ta bien-aimée ? N'aimes-tu pas Fatma, n'aimes-tu pas qu'elle dégrafe, même si c'est le jour, son corsage pour tes yeux d'amoureux possessif et jaloux ? Et s'il me disait le

80

contraire. Si le dialogue était possible, je lui répondrais : « Oh ! Menteur » ! Nous rentrions à la maison ! J'étais heureuse dans mon malheur. J'essayais malgré tout d'enfoncer dans ma caboche un peu de compréhension. Je me contredisais et me disais : peut-être est-ce moi qui me trompe et qui marche à l'envers de la normale ? Nul ne le sait pour l'instant. Et qui pourra me le dire, si ce n'est celui ou celle qui, Arabe, sait plus que moi, ignorante de la langue arabe ? Peut-'tre « elle » ou « il » pourra me montrer ce que mes yeux d'immigrée de 21 ans ignorent encore.

Nous nous réunissions le soir, après que le muezzin eut annoncé que l'heure du jeûne était finie. La sœur de Fatma, Yamina que j'aimais beaucoup, nous conseillait de couper le jeûne par la datte du prophète Mohamed. Certes, elle nous donnait l'eau à la bouche, cette succulente datte. Il y avait de la schorba. La schorba, c'est une soupe de légumes, avec de la menthe et un peu de harissa. El ham doulil'lah (1), j'étais rassasiée après une journée passée le ventre vide. Oh ! je me souviens qu'il y avait aussi dans la schorba du blé concassé, du blé vert, en arabe, phrik.

Je me souviens de ce mot arabe, quelle est ma joie d'essayer de retrouver ce que la France colonisatrice nous avait volé. Un jour, de ma bouche d'immigrée ressortira l'arbre de ma culture. Oui, il est au fond de moi, mais les racines blessées mettent du temps à guérir. Chaque fois que j'oublie un mot arabe, je pleure avec des larmes sèches et je me dis en moi : tu n'es qu'une immigrée, pas une Arabe, apprends ta langue, apprends ta race, sinon tu marcheras comme celui qui un jour a perdu ses jambes, tu marcheras à cloche-pied et ils se moqueront, les Arabes et les Français de toi, l'immigrée, partout dans

---

(1) Louange à Dieu.

les rues de la colombe algérienne, l'on rira de toi. Apprends Alif (2), Ba. Mais apprends.

Et de me dire encore : tu n'es pas une victime, tu ne dois pas laisser les Français dire : elle marche avec sa canne à problème, c'est une deuxième génération, sois digne, fille des rues de France, ne les laisse point dessécher l'arbre dont les racines sont déjà blessées, arrose chaque jour les roses de ton jardin arabe, ton jardin qui est ta culture. Ne laisse pas les hommes, qui ne pensent que par la force physique, t'écraser. Lutte, combats pour retrouver ta langue, mais ne t'enracine pas dans leur piège qu'est le panarabisme. Arabise-toi comme tu veux, et non comme ils te l'imposent. Si tu ne veux pas dire : Allah Akbar, ne le dis point. Tu peux être Arabe sans croire à Dieu. Comme tu peux aussi l'être en croyant.

Ecoute, fille immigrée les mots qui sortent de leur cœur, apprends-les, comprends-les, acquiers par la lutte, continue leur langage, pour t'approcher de la poche de leur cœur. Ecoute-les encore, même si tu crois qu'ils sont tes ennemis, tous ces « ils ». Ne te montre pas fière, sois digne. Reste dans la modestie, si tu veux les atteindre, soumets-toi à leurs insultes, le temps de savoir cette maudite langue arabe qui te permettra de franchir les barrières du cliché immigré (ée) que tu es, à leurs yeux d'autochtones. Quand tu auras appris la langue qui est la tienne, tu pourras apprendre à te confronter avec ces « ils » arabes qui te considèrent comme ne faisant point partie de la nation arabe, ceux qui pensent que « femme immigrée » veut dire : put inquahba. Tu pourras dans leur langage leur apprendre quelle force nous sommes, nous les « putains » immigrées de la deuxième comme disent les Français. Ne tombe point dans leur piège, ne les traite pas d'arriérés, tourne ta langue, apprends, immigrée, quelle est ta vraie société.

---

(2) Première et deuxième lettres de l'alphabet.

Pourtant ma langue est intarissable car je ne peux me taire face à l'oppression qui s'exerce sur moi, l'immigrée. Oui, je marche à cloche-pied sur ma culture, je suis à la recherche des racines que le colonialisme nous a enlevées, je n'aurais jamais voulu naître en France. Maintenant me voilà réduite des deux côtés des frontières algérienne et française. L'Algérie est ma terre, mais je sens douloureusement que j'y suis étrangère. Etrangère à leurs yeux d'Algériens.

Oh ! Ramadan je me mets à t'aimer, je te supporte car je dois leur prouver à eux, Dalila, Yamina et les autres que je suis traditionnellement Arabe. Je veux leur prouver qu'en France nous sommes restés Algériens. Alors je jeûne pour montrer que je suis une musulmane et non une roumie de France. Alors je supporte la douleur, j'ai mal à la tête, j'étouffe, j'ai faim, mais je sens comme une fierté qui m'oblige à suivre en silence la norme musulmane. Mais, me disent-elles « pourquoi vous les immigrées, vous ne faites pas la prière ? " Euh ", ai-je répondu en bégayant : nous ne savons pas l'arabe ! » — « Pourquoi vos parents vous ont pas appris », etc. Que de questions, quoi leur répondre, l'immigrée a toujours tort.

J'aperçois la fille de Djamaila. Elle a treize ans. Elle met un foulard après avoir lavé ses endroits intimes, elle a ce qu'ils appellent le hijjeb, une longue robe dans laquelle le corps est totalement invisible. Elle pose ses genoux sur le tapis de prière et se penche en direction de La Mecque. Je ne sais pas où est la direction de La Mecque. J'ai honte. Moi je connais en France la direction des usines et des ANPE. Vont-ils me demander où elle est ? Et que vais-je donc leur répondre à ces autochtones ?

Si je leur disais que je ne sais pas où est la direction de La Mecque, ils me diraient que je suis une « Kafra », une incroyante, donc infidèle. Quel malheur, moi infidèle ? Pourtant, comme je l'ai dit dans le

fond de mes entrailles, fleurit l'idéologie marxiste.
J'aime tant le visage de cet homme qui portait si
intelligemment sa barbe blanche. J'aime sa philoso-
phie, car lui, il veut l'union des ouvriers et paysans
pour crier : travailleurs de tous pays unissez-vous,
vous n'avez rien à perdre sauf vos chaînes.
Lui et son corollaire disaient : non, à la Sainte
famille. Mais que faire ? comme disait Vladimir
Illitch Vouliadev. Oui que faire, moi, l'immigrée, la
putain de femme, la bougnoule des rues de France ?
Que faire ? Je n'en sais rien !
Prier ou lever le poing ? Que faire...
J'ai un pied à poing et un pied à prières, je suis
l'immigrée qui bascule entre Marseille et Alger. Oh !
mon pays, mes racines, ma terre, je t'implore. Ne me
parle qu'en arabe pour oublier ce sale français, cette
langue coloniale qui m'écrase. Un mot d'arabe retenu,
un mot de français oublié, telle est ma nouvelle base
de travail. Vive l'Algérie, vive les Fellagas, vive Ali
la Pointe, Yacef Saadi, vive l'émir Abdel Kader.
Merde à Mollet, Mitterrand, Giscard et la clique de
De Gaulle.
L'immigrée algérienne vous montrera ce que c'est que
d'avoir étouffé pendant cent trente-sept ans la voix
du muezzin au nom de la croix. Putain de vos mères
qui vous ont mis au monde, putain de vos pères
racistes et fascistes.
Algérienne, lève ton poing même si tu cries Allah
Akbar, fais chier ces Français, mets ta djellaba et
crache sur leur bleu de travail, pisse sur leurs dra-
peaux français et souris-leur, avec l'étoile et le croissant algérien.

Ma tête est malade tant je rumine la haine. Et
pourtant je suis enfermée toute la journée. Je passe
les heures sur le balcon de Guelma où les Français
étaient venus pour tuer les Algériens. Je vois les
montagnes où les Français cherchaient les « fellouzs »

comme ils disaient si mal. Ils tuaient nos frères, nos sœurs et nos mères.

Et moi, je vis dans leur pays où ils tuent les immigrés. Ils ont assassiné Mehdi Ben Barka, Mohamad Boudia, fait sauter le bureau du FLN, du moins de l'Amicale des Algériens en France en 1975. Et moi, je n'avais que quinze ans, déjà, j'avais peur de sortir risquant de me faire frapper.

Un jour, alors que j'allais voir un concert, j'ai été molestée par des légionnaires français à Mulhouse. Ils m'ont pris par les pieds et m'ont jetée du haut des escaliers, je n'avais rien fait. Je portais des gros cheveux secs, j'avais des sourcils épais qui étaient peut-être un signe non français, alors ils m'ont frappée. Le journal a dit sur moi « Une jeune fille algérienne a été molestée ». Je pensais que l'article réveillerait peut-être des consciences.

Quelle illusion !

Je pense à tout ça en Algérie. Mais ici, je suis malheureuse. On m'appelle tout : Jacqueline, Christine, sauf Fatma ou Aïcha. J'ai droit à tous les prénoms français mais je n'ai pas droit à un prénom arabe. Ici, je suis l'immigrée.

« Immigrée, immigrée, Quahba (putain) », me crient-ils dans la rue. Ça c'était à Alger (qui ne s'appelle plus Alger, maintenant c'est la capitale El Djazair), la ville a retrouvé ses origines, et moi, je trouve que c'est bien.

Je marche dans la rue principale et je fréquente un café qui s'appelle *Le Lotus*. C'est un café où il y a beaucoup de Palestiniens et Libanais. J'aime pas la tête des Libanais. Ils sont beaux mais ressemblent à des limaces. J'aime pas les limaces. Les Palestiniens, j'en suis folle. Jamais je n'ai vu au monde de si beaux hommes que les Palestiniens. Je me souviens. En 1972, alors que la France, la compagne d'Israël pleurait le sort des « victimes » à Munich, moi j'étais fière de leur acte. Je ne savais pas vraiment pourquoi. Mais je savais qu'ils étaient Arabes, que cela leur donnait tort en France. Moi aussi je me suis mise à rêver que je ligoterai tous les sionistes qui montent dans les avions de la ligne El Al. J'aimais aussi les actes perpétrés par la bande à Baader. Andreas, Ulrike Meinhof, j'avais lu le livre de Klaus Croissant comme on peut déguster un petit pain.

Je les vois, les Palestiniens à Alger. Ils ne sont pas d'une beauté bête et bourgeoise comme les Libanais. On lit sur leur visage la révolte et leur esprit révolutionnaire. J'ai décidé que je ne fréquenterais plus qu'eux, car ils sont comme nous les immigrés, ils n'ont plus de terre. Je m'intéresse beaucoup à cette juste cause. Les Palestiniens parlent l'arabe de la Palestine, nous, nous ne parlons pas l'arabe, on nous a détruits culturellement. Tandis que les Israéliens n'ont pas réussi à arracher l'arabe aux Palestiniens. Les Palestiniens, ils ont une terre spoliée, pas nous. Les Palestiniens ont une culture, nous on nous l'a arrachée. Là où nous leur ressemblons, c'est dans la haine qu'éprouvent à leur égard et à notre égard, les Algériens. L'Algérie est indépendante, mais ne veut plus de nous, les immigrés. L'Algérie par sentimentalisme loge les Palestiniens, tels des réfugiés qui un jour seront peut-être jetés à la porte mais élégamment.

J'ai quitté Annaba pour rejoindre la capitale, El Djazaïr. Je ne sais pas pourquoi mais j'aime tant cette ville. J'aime regarder le bureau de l'OLP. Mais je souhaite qu'un jour les Palestiniens n'aient plus besoin des Arabes qui leur font la charité. Ils s'apitoient sur leur sort et dans la vie quotidienne, les Palestiniens sont des étrangers en Algérie.

Je vais en direction de Ben Aknoun, rejoindre les filles immigrées. Ben Aknoun, la cité universitaire où je suis logée clandestinement. Je ne suis pas étudiante, je suis travailleuse immigrée, je n'ai pas le droit d'être logée en Algérie.

Cette Cité est interdite aux garçons. Les filles sont séparées des mecs. C'est un des principes de la République démocratique et populaire algérienne. Un pays qui se dit socialiste. Principe avec lequel je suis en guerre.

Je me sens entourée de mes sœurs immigrées qui, elles, ne peuvent que comprendre ma situation même si elles sont plus privilégiées que moi, de par leur statut. Je suis ouvrière et elles sont étudiantes. Mais nous sommes toutes issues d'un milieu social pauvre, nous sommes des prolétaires dont les parents sont exploités. Nos pères et mères sont, pour la plupart, analphabètes. Le capitalisme français a su profiter d'une main-d'œuvre qu'elle a colonisée au préalable. Après avoir spolié l'économie du peuple algérien, ils sont partis, nous laissant dans la ruine.

Nos parents ont dû traverser les frontières pour être réduits à l'état de mendiants travaillant pour un paquet de couscous par jour. Je suis dans cette Cité où je n'ai pas le droit de sortir par peur de me faire choper. Il y a un gardien aux yeux bleus, vicieux et méchant. Il m'a repérée quand une fois j'ai décidé d'aller voir mon nouvel ami Aïssa.
Aïssa est Palestinien et ce n'est pas un hasard si nous sommes ensemble. Lui, Palestinien sans Patrie, et moi, immigrée dans mon pays l'Algérie.
Ne nous en voulez pas.

Je ne veux point te parler X., à qui j'écris ce journal, de l'autre que j'ai laissé au Sahara. Je le porte comme une douleur, comme une épine dont je ne peux me séparer.

Alors le gardien aux yeux bleus m'a dit : « Montre ta carte », « je n'en ai pas » lui ai-je répondu. « Tu ne rentres pas où j'appelle la police ». La peur au ventre, je retourne à Alger et je demande à Aïssa s'il veut bien me dépanner. Aïssa a honte de me dépanner. Il craint la réaction de ses amis. Dépanner une femme en Algérie ça ne se fait pas. Tant pis, je prends le risque. C'est le moment propice pour montrer ma valeur à ce mec qui se prétend progressiste du

« Fatah ». Il milite, on verra où est son esprit révolutionnaire.

Je retourne vers dix-sept heures à la Cité. Ouf ! le connard aux yeux bleus n'est pas là. J'entre dans la salle à manger. Les filles sont en chemise de nuit, elles rient très fort en buvant du café au lait. Presque toutes ont fait leurs mexicaines pour se raidir les cheveux. Ah j'ai compris pourquoi dans la rue on me sifflait en m'appelant « immigrée ». Les cheveux frisés pour une femme, c'est une honte et ça plaît pas à la norme masculine. Une fille aux cheveux frisés, c'est une immigrée et une immigrée, c'est une pute. C'est aussi une droguée, une révolutionnaire de gauche, c'est une femme. Une femme, c'est pas beau. Ils n'aiment pas ça tous ces « ils » qui déambulent dans les rues de l'Algérie. Cette femme, tu peux l'agresser, car elle n'est pas respectable et honorable.

Cheveux frisés, vous êtes les ennemis en France, en Algérie, sur ma terre, vous êtes aussi les ennemis des hommes. Cheveux frisés je vous respecte, je vous aime, je vous garderai ainsi, avec tous les risques. Les filles fument des hoggards, c'est des cigarettes pas cher, on dirait de la paille. Mais c'est fumable. Les Marlboro c'est rare et ça coûte cher. Y a des Palestiniennes du Koweit ici, et des Libanaises musulmanes riches. On les reconnaît à leur façon de s'exprimer en arabe. Elles parlent un dialecte différent de l'Algérien.

Je les aime car elles viennent d'une terre qui a été spoliée, je les aime par croyance à leur juste cause « Vive la lutte du peuple palestinien ». Je suis idéaliste, je crois aux peuples qui luttent, ce n'est pas de ma faute. Les Palestiniens, parce qu'on a spolié leur terre, se vengent de la même manière que les « Juifs », lorsqu'ils étaient rejetés par les nazis. Ils obtiennent les plus hauts diplômes pour prouver au monde leur existence.

Maintenant que les Juifs sionistes ont spolié la terre de Palestine, ce sont leurs frères sémites palestiniens qui essaient de montrer au monde leur juste existence. En Algérie, une bonne partie des étudiants qui font des doctorats sont Palestiniens, est-ce par hasard ? Les Algériens en général sont jaloux des Palestiniens. Ils les détestent. Je me souviens, lorsqu'il y eut les massacres de Sabra et Chatila, j'ai voulu aller voir une conférence qui se tenait à Alger sur la question palestinienne. La police m'a interdit d'entrer sous prétexte que j'étais algérienne et que seuls les Palestiniens avaient le droit de participer. Pourtant mes amis palestiniens m'avaient dit que cette exposition voulait avant tout, réveiller la conscience des Algériens sur le drame palestinien. J'ai trouvé cela honteux. N'est-ce pas une crainte de certains de la haute, une crainte que le peuple algérien s'unisse avec le peuple palestinien pour lutter ensemble. Alors les médias et la presse ont essayé de détourner l'attention des Algériens en insistant sur la coupe du monde à laquelle l'équipe de football algérienne participait.

Ceci dit, j'en reviens à mes moutons.

Les immigrés, pour la majorité, on n'a pas fait d'études, car on nous opprimait. Les professeurs faisaient tout pour limiter nos connaissances. Ils nous mettaient au fond des classes et ce sont eux qui nous imposaient notre ligne professionnelle future.

Je me rappelle, j'avais une prétendue « enseignante », qui me traitait toujours de bougnoule car elle était d'Algérie. Elle était pied-noir. Elle m'en voulait à mort. C'est rigolo, car elle s'appelait madame Marx. Bah ! Elle avait toujours un chignon teint en noir et du rouge à lèvres tout rouge. Moi qui étais musulmane con et vaincue, donc convaincue, j'étais dégoûtée rien qu'à la voir. Pour la faire chier, je lui parlais toujours de Karl Marx car j'avais entendu dans la librairie des gauchos à Mulhouse, les intellectuels parler de ce Monsieur. Ils adoraient se masturber l'esprit sur les écrits de Marx.

Mais elle, cette prof, il fallait pas lui en parler, ça lui sortait par les trous de nez. Pourtant elle portait le même nom. Moi, je croyais que tous les Marx étaient issus d'une même famille.

Cette Marx me disait toujours : « Eh ! les bougnoules, si j'pouvais, je vous foutrais tous dans une baignoire et je vous laverais avec du savon de Marseille. »

Bon ! retournons en Algérie, car je ne dois jamais perdre de vue la colombe aux ailes brisées, Alger la blanche dans l'avion et quand on atterrit, la grise. Alger compte, en principe, 800 000 habitants, or, il y habite plus d'un million. Lorsqu'il y eut la réforme agraire en 76, et qu'elle fut un échec, beaucoup de paysans quittèrent les villages pour s'amasser dans les villes. N'ayant point de qualification, ils formèrent le prolétariat algérien. Politiquement, ils n'existent pas. Il y a un syndicat rattaché au parti unique qui s'appelle « l'Union générale des Travailleurs algériens ». Les travailleurs y sont considérés comme mineurs car leurs revendications, malheureusement pour un pays socialiste, ne sont guère respectées. C'est normal, comment voulez-vous, quand une poignée de bureaucrates parlent en leur nom, comment voulez-vous que la classe ouvrière algérienne existe réellement ?

J'ai envie de parler de ce Palestinien Aïssa. J'aime en parler car bien qu'il soit phallocrate, ce type avait une valeur. Il avait un passé politique assez important au service de la juste cause de son peuple, le peuple Palestinien. Il luttait avec tant de vigueur et de conviction qu'il avait perdu dix kilos quand il était à Sabra et Chatila. Certes, il était très froid avec moi, mais en tant qu'immigrée, il me respectait et disait que les immigrés, eux aussi, cherchent une terre. Il m'avait même conseillé de me naturaliser. Il affirmait que si l'Algérie ne veut pas prendre en charge les femmes immigrées comme moi, qui viennent sans famille, il était inutile de conserver la nationalité d'un pays qui ne reconnaît plus une partie de son peuple.

Ne l'oublie pas, chère amie, camarade, femme, je cherche une terre.

Chaque jour en Algérie était un grain de conscience en plus, qui me faisait comprendre que je n'étais qu'une intruse, que les Algériens ne me considéraient pas comme une des leurs, je n'étais ni une mère, ni une sœur, j'étais la putain, l'immigrée.

Un jour je me suis accrochée avec les Palestiniens. Ils disaient : « Tu as vécu en France, tu connais ça ». « Quoi ? » répliquais-je ? — « Ha ha ha ! tu ne sais pas » et ils riaient.

Eux aussi — même Aïssa que je croyais différent — pensaient que la femme qui vit en France se donne à n'importe qui, et doit accepter les offres des hommes. La femme bien, c'est la sœur, la mère asexuée, la femme, c'est la putain. Résultat : le sexe féminin qui croit être femme, doit prendre le risque d'être qualifié de putain. La vraie femme ça ne doit jamais exister de l'Algérie à la Palestine.

J'avais hurlé de toute ma rage. Je lui ai demandé comment les Palestiniens faisaient avec les femmes palestiniennes pendant le combat pour la libération de la Palestine. Il répondit : elles, ce sont nos sœurs. Alors j'ai compris que moi, je n'étais qu'une étrangère à leurs yeux. Je veux dire : une putain de France.

Pourtant je l'aimais bien car il croyait réellement à la lutte de son peuple. Mais moi, que pouvais-je croire, à quoi pouvais-je donc m'accrocher ? Bougnoule en France, putain en Algérie, Fatma en France, immigrée en Algérie. J'en ai eu tellement marre qu'un jour je suis partie de chez Aïssa. C'était un jeudi, je m'en souviens. Auparavant je ne lui adressais plus la parole. J'avais compris que même les Palestiniens, surtout ceux d'El Fatah, infériorisaient la femme. De plus, quand j'essayais de leur montrer ma croyance à la juste lutte du peuple palestinien, ils ricanaient.

Mon dieu, me disais-je, je n'ai pas de nationalité. Où sont donc mes racines. Les Français, vous êtes des salauds, à cause de vous, je suis dans votre putain de république, à cause de cette scolarité pourrie où l'on m'a traînée quatre ans dans une classe de transition pour m'apprendre que les Gaulois étaient nos ancêtres à nous les Sarrasins. Maintenant me voilà perdue sur ces deux terres, l'Algérie et la France. Oh ! mon dieu qui suis-je ?

Ainsi je me suis retrouvée dans la rue.

Dans la rue à Alger la « blanche ».

Et c'est dans la rue que j'ai pris conscience de la véritable et terrible oppression qui s'exerce sur la femme. Il y avait une femme qui portait un hijjeb (1) avec un haik gris. Gris parce qu'il n'était plus blanc. Cela devait faire longtemps qu'elle était dans la rue, sans issue.

Elle parlait toute seule et les gens qui passaient, particulièrement les hommes, riaient d'elle et lui faisaient des réflexions telles que : Mahboula chitana', folle, diable. Et pourtant, je suis sûre que le soir, quand la nuit tombe, ils s'empressent pour profiter de son sexe sans défense. Compte tenu qu'en Algérie, ils ne peuvent pas toucher aux mères et aux sœurs, seules les putains comme ils disent, sont touchables. Cette femme, comme tant d'autres, a perdu la raison pour tomber dans ce qu'il y a de plus atroce en Algérie comme dans tout pays musulman, la folie. Ce qu'il y a de plus humiliant pour un être qu'ils ont brisé.

J'avais très peur en voyant cette femme, peur, car je la voyais comme ma propre image dans un miroir au cas où je ne trouverais pas où loger. J'avais mal aux tempes, j'étais près du *Lotus* dans la rue Didouche-Mourade. Mes yeux crispés, exprimaient ma crainte et mon incertitude. J'étais dans la rue, dans mon pays, l'Algérie.

Il y avait, moi, ma valise et ma peur. Je me tenais près du café *Lotus* raide comme un piquet ; j'étais figée, ne sachant plus quoi faire. Alors j'ai pris mon

---

(1) Vêtement que portent les femmes musulmanes.

courage. J'ai décidé de demander à une femme qui avait l'air sympathique, si elle pouvait me dépanner. Aïssa m'avait laissée là, à côté de ce café, la raison étant que je refusais l'idéologie du Fatah. Ce fut une raison pour lui de se décharger du fardeau que je représentais. D'autre part, dans le cas où la police algérienne, m'avait-il dit, apprenait qu'un Palestinien loge une Algérienne, il risquerait l'expulsion immédiate ou serait incarcéré. Moi, je serais contrôlée par un médecin. Compte-tenu que je ne portais plus l'honneur de l'homme, je serais conduite au bordel puisque à leurs yeux, je ne serais qu'une putain. J'étais maintenant dans le café, le propriétaire avait refusé de garder mes bagages. Il y avait une femme assise avec son petit garçon. Elle m'a demandé d'où je venais avec cette valise. Je lui ai tout dit, n'ayant plus rien à retenir dans mon cœur trop blessé par l'Algérie. J'avais trop emmagasiné de soucis et de peines chez Aïssa. J'avais aussi trop souffert dans le Sahara comme je te raconterai tout à l'heure.

Elle me proposa de me loger chez sa mère. Je refusai, car j'en avais assez des questions posées par les familles sur les immigrées femmes. « Es-tu vierge, etc. » Finalement j'ai changé d'avis. Et je suis partie chez Fouzia. Fouzia une amie que m'avait fait connaître mon ex-ami Hussein, lui aussi Palestinien, qui m'a tant humilié. Elle était médecin en Algérie. Elle habitait la cité universitaire du docteur Trollard, en plein centre ville. Elle avait une chambre meublée pour elle et son mari Amar que j'aimais beaucoup. A deux, ils étaient obligés de vivre dans une chambre. La crise du logement étant à l'origine de ce handicap.

Fouzia est une femme qui a un esprit purement révolutionnaire. Elle est très réservée, posée, et aussi très réaliste quant à la situation générale concernant notre pays l'Algérie. Elle me disait toujours : « Retourne en France, tu rencontreras un homme qui te comprendra, ici ils te boufferont. N'hésite plus à prendre les papiers français, tu vois bien comment tu es considérée ici, toi et les autres immigrés ». Elle me raconta l'histoire d'une fille de Marseille, Yamina qui a terminé ses jours dans un asile psychiatrique après un séjour plein de mauvaises expériences en Algérie.

Moi qui, avant, était pleine d'illusions, je ne voulais pas croire qu'en Algérie je pourrais entendre cette vérité de la bouche d'une femme qui passe sa vie dans ce pays. Moi qui voyais l'Algérie comme étant le pays où les fellagas, par la révolution, nous avaient arraché l'indépendance. Moi qui croyais enfin pouvoir planter mes racines dans le pays des trois filles de Yacef Saadi, je venais tout juste de sortir d'un rêve trompeur. Le mensonge du gouvernement, des autochtones, des médias... Alger, l'Algérie, où les Français avaient massacré un million et demi de martyrs ? Quel faux rêve !

Fouzia était une femme mûre, et elle, qui a grandi en Algérie où son père est tombé martyr, elle savait que nous, immigrés, nous vivions un drame. Moi qui croyais aux idéaux, à l'Wattan (1), qui sifflait fièrement l'hymne algérien, le serment, moi qui étais si fière que notre président Boumédienne n'ait jamais accepté par respect pour les Algériens, de venir en France, moi qui pensais que Chadli Benjeddid n'était que son héritier, je ne savais plus...

Ah, moi, mes idées, mes rêves, et mes croyances, tout cela commençait à doucement s'écarter de ma tête, grâce à mes expériences et à Fouzia qui était pour moi, le reflet de la femme telle que je l'aime. Oui, elle, dans son silence révolutionnaire, a compris que notre révolution a été confisquée, que les révolutionnaires étaient morts, et les bureaucrates au pouvoir. Nous, les immigrés, nous étions, à ses yeux, juste des victimes non seulement du colonialisme, mais d'un système à double face. Celui du colonialisme

---

(1) Patrie.

94

français et celui du néo-colonialisme de l'Algérie, qui en rien ne veut de nous.

Certes, je réfléchissais et chaque jour était un grain d'illusion en moins. Sans Fouzia, j'habiterais dans la rue, je serais comme cette femme au haik gris, je serais comme elle, peut-être, par la force des lâches, poussée à la prostitution et à la folie. La police et les putains d'hommes me violeraient. Côte à côte, ils m'y auront poussée. Je ne peux croire à cette farouche réalité, mais elle est un fait. Pourquoi la République démocratique algérienne et populaire, n'a-t-elle pas créé des structures pour protéger des femmes comme la femme au haik gris ? Pourquoi dois-je dans un pays socialiste, me poser ce genre de questions. Fouzia me raconte tant de vérités.

Moi aussi comme cette Yamina de Marseille, j'ai traîné de café en café, de lieux en lieux. Et l'on me regardait de travers en me lançant des insultes. Ils me disaient : « Immigrée, immigrée, quahba. »

Y en a qui sortaient leur sexe en me le proposant. Dans les bus, ils n'hésitaient pas à vider leur sperme sur les femmes. Et elles avaient trop peur pour se défendre. Ces femmes autochtones, qui en majorité, pensaient que l'homme est supérieur à la femme.

Elles qui me faisaient des réflexions telles que : « Elle se prend pour un homme. » Elles aussi subissaient silencieusement la répression d'un pays où la maladie sexuelle est maîtresse. J'étais dans ces lieux publics. Je mangeais des pâtisseries arabes avec du café au lait ou bien du thé à la menthe. Ah ! ce satané thé que les Français aiment tant. Ce thé qu'ils attendent quand ils vont chez des Arabes. Et, nous, immigrés que devons-nous attendre d'eux, rien.

J'étais seule, comme une clocharde qui s'assoit à côté de n'importe qui, pour peut-être m'assurer que j'étais encore un être humain. Je lisais l'*Actualité*. C'est un journal algérien assez intéressant sur le plan culturel. C'est à travers ce journal que j'ai pu connaître l'écrivain Kateb Yacine. Je l'aime beaucoup car il est pour moi l'immigré, un vrai homme. Il n'a pas besoin comme la majorité des mecs de ce pays, de moustache et de la virilité sexuelle, pour prouver qu'il est un homme. Je suis sûre que cet individu respecte la femme. Je le sens. La virilité de Kateb Yacine, c'est son écriture. J'ai lu Nedjma. Oui, je me sens dans Nedjma. Car Nedjma c'est l'Algérie, c'est la femme qui se cherche. Il a écrit une pièce de théâtre qui s'appelle : « Mohamed prends ta valise ». Evidemment il a fallu qu'interviennent ces putains de frères musulmans qui, soi-disant, ont compris que Kateb Yacine voulait parler au prophète, en lui disant de prendre sa valise. Quelle honte qu'à de tels moments la sécurité algérienne ne soit guère présente. En 1981, les frères musulmans se sont infiltrés lors d'une présentation à laquelle participait l'UNJA (1), concernant la question berbère, ils ont tout cassé. La police algérienne les avait utilisés comme une police parallèle contre le mouvement berbère. Mais, quand ils ont demandé à ce que la République islamique soit instaurée, les autorités algériennes se sont mises à les attaquer.

En Algérie, Kateb Yacine est populaire mais pas aimé du gouvernement. Comment pourrons-nous nous respecter, Algériens et Algériennes, si l'on n'a pas droit à la parole dès lors que l'on affirme tout haut qu'on est Berbère ? N'oubliez pas, femmes algériennes, que nous sommes les filles d'une femme guerrière, nous sommes les filles et les femmes de la Cahina. Cahina est une femme qui combattait, c'est elle qui a fait reculer les Arabes, pendant les invasions musulmanes. Le passé est le passé et le présent est sa suite.

Il y a quatre tribus qui forment l'ensemble de la communauté algérienne. Les Chaouis, les M'Zabites, les Kabyles et les Touaregs. J'ai appris que nous

---

(1) Union Nationale de la Jeunesse Algérienne.

avons été arabisés au septième siècle quand l'islam naquit. Mais nous ne pouvons nier que notre origine est Berbère. Est-ce une honte de la dire ? Oui, avec des gens comme Kateb Yacine, nous immigrées, nous ne serions plus exclues, je pense. Mais en Algérie, les gens qui ont une valeur profonde, ce sont des gens que l'on réduit au silence. Ce sont des gens que l'on suspecte. Ah ! que j'aime Kateb Yacine. En ai-je le droit ?

Je sens de plus en plus ce sentiment de n'être pas quelque chose qui vit. Fouzia m'incite à partir d'Algérie. Je lui ai tout raconté. Ma triste histoire de la cité Ben Aknoun. Je m'étais trouvée séquestrée. Si je prenais le risque de sortir, c'était au risque de ne plus pouvoir rentrer. X., je te l'ai déjà expliqué. J'ai vécu dans le cafard pendant 10 jours. Le gardien aux yeux bleus me considérait comme une fille sans famille. Une fille parce que pas femme. Comme je n'étais à ses yeux vicieux qu'une putain de France, il m'a proposé de coucher avec lui si je voulais entrer dans la Cité sans problème.

Cela veut dire que lorsqu'on a le malheur d'être immigrée, pas étudiante, on n'a accès ni aux hôtels, ni aux Cités et il n'y a pas d'auberges de jeunes. Résultat, en Algérie, sans famille, la démocratie algérienne offre la rue aux immigrés. Oui, la rue est aux exclues que nous sommes. La police, dans ce cas, peut nous ramasser, telles des chiennes. Quand j'étais arrêtée, la police, si j'avais pas eu une personnalité de fer, m'aurait violée le plus légalement. Personne n'aurait rien su. Et qui m'aurait défendue puisque la justice, c'est les hommes qui la dirigent.

Dans les hôtels, on vous demande vos papiers. Puis on vous demande si vous êtes mariée, si vous êtes accompagnée de « Ibn » (fils de l'oncle), d'un frère, etc. Je traduis : es-tu accompagnée d'un sexe masculin, d'un sexe fort ?

Mais quand vous dites hautement, comme moi, que

vous êtes immigrée, le soir-même dans le cas où ils t'acceptent, le serveur ou un autre employé, frappe à ta chambre. — Iftah l'beb, ya habibi » (1) et quand tu hurles ta rage, il te crie — quahba min frança » (2). J'étais dans le restaurant, seule. Le serveur m'a servi en me faisant des propositions. Quand je lui ai répondu de me foutre la paix, il m'a dit : « Retourne dans ton pays la France, va niquer les Français, ils sont mieux que nous, hein ? Putain de France. Mais si j'avais haussé le ton, il n'aurait pas hésité à me frapper. C'est malheureux que je doive dénoncer mes propres frères. Mais en rien je n'accepterai par sentimentalisme de comprendre. Je suis Algérienne comme eux et subis la répression raciste en France. En quoi vais-je les excuser ? Non ! ils veulent me chasser de ma terre, car je ne me comporte pas en maman ou en sœur respectable. Je suis une femme immigrée, et fière de l'être.

Je suis aux yeux de ce serveur une bint haram (3). Et bien le haram, je suis fière de ne point le craindre.

L'hôtel, la rue, voilà où j'habite dans mon pays l'Algérie. Pays où le socialisme est soi-disant la politique menée par le gouvernement. Socialisme qui m'a tant fait pleurer de rage. Algérie où je ne suis qu'une putain, une immigrée. Algérie, où la police m'a traquée, Algérie, où les hommes m'ont craché au visage, moi la putain immigrée, la Fatma, la bougnoule en France.

Après n'avoir vécu malheureusement que des expériences humiliantes, d'Alger jusqu'au Sahara où l'homme palestinien que j'ai aimé, m'a réduite en esclave.

Du Sahara à Alger, j'ai souffert, je n'ai pu regarder le Hoggar, le désert, les hommes sont partout et ils vous épient. Je vivais en clandestinité chez mon ami.

---

(1) Ouvre la porte ma chérie.
(2) Putain de France.
(3) Péché.

Chaque fois que venait quelqu'un, je devais me cacher au risque que l'on nous dénonce. J'ai travaillé dans une entreprise, j'ai essayé d'être indépendante, mais l'entreprise n'a pas voulu me loger. Célibataire, immigrée, tu es classée. Je ne disais pas un mot aux employés. Il n'y avait que des hommes. J'étais la seule femme. Je jouais la musulmane. Je portais le tchador pour qu'on me foute la paix. Si tu donnes ton doigt à un homme d'Algérie, il te prendra le bras. Puis quand la relation sera terminée, il ira partout dire qu'il t'a eue et ce sera toi la putain, lui c'est un homme, il a bien fait. La non-sœur, la non-mère, c'est la putain et la putain il faut la baiser si t'es un homme, si t'as des « moustaches ».

Bahiya et moi, nous avons été chassées de l'autre entreprise où j'ai travaillé, avant de changer. Nous n'étions pas conformes aux règles. J'ai logé dans une famille que j'ai proposé de payer, car mon ami m'a trop humiliée. Dans son fond, bien qu'il prétendit être un progressiste, il cherchait dans la femme une mère, donc une femme soumise. Il me prenait pour baiser et un jour me chasser. Moi qui croyais que les Palestiniens étaient différents avec les femmes. X., ne le crois plus.

L'éducation que les pays musulmans ont inculqué aux hommes est une éducation nulle. Tant que les hommes arabes-musulmans ne saisiront pas que la femme est leur égale et non leur chienne, leur mère, tant qu'ils ne se comporteront pas en vrais hommes adultes, le monde arabe ploiera sous le colonialisme, l'analphabétisme.

Tant qu'aucune loi en faveur de la femme ne sera mise en application, jamais l'Algérie ne pourra prêcher le socialisme. Comment même parler d'une société socialiste alors que nous avons un code de la famille qui réduit la femme à l'état de mère ou de sœur. Combien de temps nos mères resteront ignorantes, pourquoi mes sœurs ne se révoltent-elles pas contre ces pratiques réactionnaires, pourquoi, pourquoi ?

Ainsi, je décidai de prendre l'avion du retour. Mais de quel retour. Le plus dur des retours. Celui où je comprenais enfin que la France et l'Algérie sont égales sur une chose : jouer au ping-pong avec nous, les « Nationalité : Immigré(e) ».

Je n'en pouvais plus. Je me sentais désespérée. Je savais maintenant qu'un long combat devrait se forger en moi. Car ayant connu les commissariats algériens, la rue en Algérie, les Cités en clandestinité, j'avais compris que j'étais « Nationalité : Immigrée ».

La France m'avait dégoûtée car nous subissions trop d'injustices dans cette France de colons. Pays du racisme, de l'inhospitalité, pays de la honte et l'humiliation quotidienne des conditions de travail auxquelles mes frères, sœurs et moi, étions assujettis, je croyais que je pourrais enfin respirer en Algérie.

Les Algériens autochtones, ils diront : « Oui les immigrés, ils veulent tous des bons travaux, du matériel. » Ils justifieront toujours leur conduite à notre égard. Le gouvernement dira : « Ce n'est pas vrai, nous les accueillons très bien et respectablement. » Il dira démagogiquement que nous sommes les mères, les sœurs de la patrie décolonisée, que nous sommes toujours Algériens. Je le hais, je les hais, car ils savent trop bien mentir, ceux de la haute. Leur honneur, leur orgueil, leur soi-disant culture.

Si la culture arabe, c'est de réduire la femme à l'état où elle est, je ne veux pas de cette arabité. Si Arabe en France signifie bougnoule, il faut être naturalisée pour dire je suis Française, ça jamais. Pourquoi les Français qui vivent chez nous ne deviennent-ils pas Algériens dès lors qu'ils sont nés en Algérie ?

Algérie-France, j'ai compris que les deux pays ne veulent plus de nous. Alors j'ai pris l'avion pour la France. La France est raciste, mais en France je peux vivre seule sans mari, sans père, mère, et la police ne m'épie pas tous les jours. Je peux crier, « non » au

100

racisme, « non » à l'exploitation de la femme, je me sens un peu plus libre que sur ma terre. C'est malheureux. Y en a qui diront : cela fait vingt-trois ans que nous sommes indépendants, on ne peut pas tout faire en l'espace de peu de temps. Les bureaucrates qui disent ça, ont-ils attendu pour se remplir les poches sur le dos du peuple naïf que nous sommes, nous Algériens, qui avons trop cru ?

Je haïssais les hommes. Je ne voulais plus en voir. Leur lâcheté physique à l'égard des femmes m'avait trop écœurée. Je ne résistais plus. Je vivais sur les nerfs constamment. Je prenais conscience aussi que je n'étais pas faite de fer pour résister mais de chair. Je comprenais trop bien que le système patriarcal des sociétés dites musulmanes, trompait le peuple en le considérant comme mineur.

Je savais trop bien que la France raciste haïssait l'Arabe, le, les bougnoules, mes frères aux yeux noirs, aux cheveux frisés, qui un jour, avaient traversé les frontières du Maghreb pour trouver du travail, après avoir été colonisés cent trente-sept ans par la France. Ils ont enlevé leur djellaba pour mettre un bleu de travail. Peugeot, Talbot, Renault, la mine, la merde de France, le macadam, le goudron, leur ouvrit les portes, ces portes qui sont le sale boulot, car les patrons français les considèrent, jusqu'à maintenant, comme des bêtes à deux pattes, profitant de la double analphabétisation dont ils sont victimes. Qui ? Nos pères algériens réduits à l'état d'immigrés et non plus de citoyens d'ailleurs, de citoyens... je veux dire arabes, eux-mêmes étant victimes d'une sous-culture, car ils ne jouissent en rien de la civilisation arabe.

Les bureaucrates prirent la chaise du pouvoir en Algérie. Ils installèrent un système dans lequel nous devons vivre sous le bâton et la carotte. Un système salade dans lequel la puissance soviétique, bonne mère du Tiers-Monde, trempe ses tentacules. Ils fondèrent une charte théorique où l'Algérien est libre et a des droits. Or, dans la réalité, la charte est violée sur tous les plans. L'Algérien et l'Algérienne pauvres, en rien ne sont respectés. La bourgeoisie dépendante contribua au maintien de l'immigration, car les immigrés risquent d'être imbibés d'idées progressistes, dues aux expériences acquises en France. Les luttes contre l'exploitation et le racisme, sont un danger qui risque de bouleverser l'Algérie.

Les immigrés, pour moi, peuvent être l'image de l'espoir pour qu'enfin nous ayons une véritable démocratie dans laquelle les femmes et les hommes seront libres et égaux. Les droits de l'homme sont trop bafoués. Pourquoi n'ai-je pas eu le droit de vivre en paix sur ma terre ? Pourquoi ai-je été arrêtée arbitrairement ? Je n'avais rien fait. J'avais simplement tort d'être une femme et non une mère, une sœur conformes.

Pourquoi nos pères restent-ils en France et ne retournent-ils pas au pays ? N'est-ce pas parce qu'ils ont compris qu'en Algérie ils souffriront peut-être encore plus qu'en France ?

Ils ont été exploités trente ans dans cette France, trente ans au service du patronat français, n'est-ce pas assez ? Les voici après trente ans de survie en France, analphabètes dans un pays où il y a des livres à gogo, des bibliothèques, des écoles, des universités. Ils ne rentrent pourtant pas. Pourquoi ? A qui la faute ? N'est-ce pas aux deux gouvernements, qui en toute complicité jouent au ping-pong avec eux, et maintenant avec ceux qu'ils qualifient élégamment et hypocritement de deuxième génération ?

Maintenant nous devons payer pour rentrer dans notre pays. Il faut donner 1 200 F de devises et quand tu repars en France, tu dois montrer une preuve que tu as payé ton entrée dans ton pays.

J'ai pris l'avion, déchirée par ces deux pays qui ne veulent plus de nous. J'étais pour l'un la putain, l'immigrée, et pour l'autre la Fatma qui fait l'ménage et la bougnoule.

Je rêvais de construire une île entre Marseille et Alger, pour enfin qu'on ait, nous, les immigrées et immigrés, la paix. Je compris que nous n'étions ni Arabes ni Français, nous étions des « Nationalité : Immigré(e) »...

Douane française : froideur des flics parlant familièrement avec les immigrés, les traitant évidemment comme des bêtes. La peur dans chaque paire d'yeux d'immigrés, peur d'être refoulés aux frontières ! Mais pourquoi ont-ils peur ? m'étais-je dit en moi. Pourquoi devons-nous craindre d'être refoulés ? Soi-disant que l'Algérie veut que ses fils immigrés reviennent sur leur terre ? L'Algérie démocratique et populaire ! Je ne pouvais croire à cette terrible crainte du retour qu'il y avait chez les immigrés. Mais il fallait bien que je prenne conscience des réalités, nous étions victimes des deux pays, l'un est la France qui colonise et l'autre pratique le néo-colonialisme.

L'un à l'état brut et l'autre à l'état net. Algérie - France ! France - Algérie. Mais sais-tu compagne, camarade, ami X. à qui j'écris, sais-tu que c'est plus grave d'avoir peur de retourner dans son pays, sa propre terre, celle de nos ancêtres Berbères qui ont planté la racine de la culture algérienne, celle qui aujourd'hui s'appelle la colombe, Alger la blanche, l'Algérie libre, que de craindre le pays où tous les Arabes s'appellent Mohamed et Fatma, celui que nous devrions mépriser en levant le poing de l'unité je crois... Arabe.

Mais c'est de l'Algérie que nous avons actuellement le plus peur. Pourquoi donc ? N'est-ce pas la faille des droits de l'homme qui nous fait tant hésiter à retourner ? En France nous ne mangeons pas plus qu'en Algérie et nous ne goûtons pas vraiment aux plaisirs de la vie ? Alors ? Alors qui a fait des promesses à nos pères combattant du côté du FLN ? Qui donc ? N'est-ce pas l'Algérie qui a promis de rendre la dignité à nos pères, à nos mères ? C'était en 62, te souviens-tu X. ? C'était bien en 62, que l'Algérie notre terre est devenue indépendante. N'est-ce pas ?

Tous ces Yacef Saadi, toutes ces Djamila Bouhihed, tous ces Ali la Pointe qui en 1985 cassent le macadam en France et subissent toujours l'esprit du colonialisme français, voici qu'ils passent un mois sur douze en Algérie, la terre de leur sang, la terre libre et onze mois dans la terre des colons. Qui a trahi, dis-moi, qui nous a trahis ? Qui, qui, qui ?

Et nous les filles et les fils de nos pères algériens, marocains ou tunisiens, nous ne savons plus où est la direction de nos pays, nous qui basculons à cause du colonialisme sur deux sous-cultures ?

Une douane est une douane, qu'elle soit Française ou Arabe, un flic est un flic d'où qu'il vienne. Oh ! Algériens qui faites la chaîne à la douane de Lyon, pourquoi ne pas retourner vos visages en direction du vrai ennemi, plutôt que de tendre, en tremblant votre passeport vert à des flics qui, peut-être, ont tué en Algérie ? Pourquoi tremblons-nous devant la douane française ? Qu'avons-nous à gagner de cette France qui ne nous considérera jamais ? Qu'attendons-nous pour nous révolter contre nos pays qui ne veulent plus de nous ? Un sentiment de révolte et d'impuissance était très fort en moi. Oui je me sentais impuissante. Je suivais le rang de mes frères, car à la douane française, ils ne faisaient pas de différence entre un immigré et un Algérien. Je montais dans l'avion qui allait à Lyon et je me sentais vide. J'avais l'impression que je n'avais plus rien en moi. Je sentais soudain ce que signifie se pencher en direction de l'exil.

Chacun à sa place. La chaleur de l'Algérie s'éloignait au rythme de l'envol de l'avion qui décollait pour atterrir dans le pays de l'asile et la fraternité française. Celle où chaque année un Mohamed meurt pour avoir eu tort d'être Arabe. Et j'étais angoissée, Alger, la Kabylie, le hameau, l'olivier, la langue arabe, le couscous, les femmes, les Palestiniens, l'Algérie, mon pays à moi, l'Algérie.

Je pleurais de toute cette agressivité dont j'étais victime, moi immigrée, femme en Algérie, cette agressivité s'extériorisait dans le journal *Le Figaro* que bouquinait un Français qui me regardait dans l'avion. Je me mis à discuter avec un vieux couple algérien. Nous nous souriions, notre blessure était commune. Puis nous parlions de tout. Ils étaient depuis trente années en France. Mais ils avaient eux, conservé leur culture, leurs mœurs et leur nationalité. J'étais heureuse de leur dire que je suis née en France mais que j'ai gardé ma nationalité algérienne.

Je me posais de nouvelles questions liées à ma prise de conscience qui évoluait. J'apprenais chaque jour de nouvelles informations sur nous. Oui, nous qu'ils appelaient non plus Arabes, mais immigrés. Je me demandais quelle différence il pouvait y avoir entre un immigré et un Arabe autochtone. Alors qu'à la douane, les Français ne nous différenciaient point.

Nos frères arabes des pays arabes, nous distinguent. Ils nous rejettent en nous classant dans un rang d'inférieurs et nos ennemis français nous classent tous dans la même corbeille, la corbeille du bougnoule. Pour eux, nous sommes Arabes, immigrés, donc bougnoules. Nos frères arabes, de l'Algérie, du Maroc, de la Tunisie, nous traitent de putains occidentales, de chiens de la France, de restes. Nos frères qui ne nous reconnaissent plus que comme des étrangers sur nos terres arabes.

A cause d'eux, nous voilà « Nationalité : Immigré (e) ».

J'étais écœurée car je ne pouvais croire que l'on puisse être classé de chiens de la France par nos propres compatriotes.

Alors je suis repartie vers la France. J'ai travaillé dans une foire et j'ai fait des ménages chez les particuliers. J'ai loué une chambre meublée. Je m'ennuyais, dis-toi X. que je détestais de plus en plus les

Français. Femme de ménage, chômage, voilà la situation dans laquelle je retournais, situation dans laquelle la France place volontairement les immigrés en ne leur offrant aucune chance de se qualifier dans une profession. Je faisais partie de cette masse prolétaire. A l'ANPE, on ne me proposait rien.

Ma chambre était carrée. Il y avait une table, deux chaises, une vieille armoire, la porte grinçait et puis le lavabo tenait avec une planche que la vieille qui me louait avait installée naïvement en pensant que cela me suffirait.

Je la payais 500 F, cette piaule, cette valise, enfin ce carré. Je ne pouvais recevoir de visites, ni féminines, ni masculines. Je me suis engueulée avec la vieille car j'ai remarqué qu'il n'y avait aucune prise, je ne pouvais donc brancher la cassette. J'ai pleuré devant le miroir et je suis sortie dans la nuit, marcher, marcher, tant je me sentais humiliée. C'est tout ce que je méritais avec mon argent. Un carré à 500 F. Le visage de la vieille qui me louait était froissé de méchanceté.

Trois mois passèrent et la France me dégoûta au point que je noyais mon dégoût dans l'alcool.

J'étais déprimée car je me sentais incomprise. D'autre part, je ne tolérais guère le système d'exploitation français que mon peuple déraciné subissait. Nos mères chez les particuliers de gauche et de droite, nos pères dans les usines, sur le macadam et nous les jeunes immigrés dans la rue. Nos cartes de séjour, c'était des papiers qu'il fallait renouveler tous les trois mois au commissariat. En attendant le vrai papier. Etait-ce normal que nous subissions encore les suites du colonialisme français en France ? Nous Algériennes, Algériens, Marocaines, Marocains, Tunisiennes, Tunisiens qui avons tous été colonisés. Surtout nous, Algériens, qui pendant cent trente-sept ans avions vécu sous le règne de la torture de la République française.

Non, évidemment, ce n'était pas normal. J'estimais

que nous devrions avoir des droits sur la France et qu'il était injuste de nous classer au rang d'animaux et non d'êtres humains. Quand je traînais dans la rue, je voyais mes frères immigrés plus âgés que moi, mes pères, qui cassaient silencieusement le macadam. Les patrons français qui leur parlaient méchamment en les tutoyant. Je me sentais blessée au plus profond de mon être. Je retrouvais dans ces patrons français l'attitude des particuliers chez qui je me faisais exploitée sans être déclarée. J'étais la Fatma, qui faisait tout pour le SMIG. Le ménage, le repassage, la bouffe, et je promenais même le chien. Je ne disais pas un mot tant ma haine me dépassait. Je sentais l'envie amère de tuer un Français. C'est à ces moments-là que je me disais : « T'étais punck, t'étais rocky, mais tu ne resteras toujours à leurs yeux qu'une bougnoule, une Algérienne. »

Je décidai de me réarabiser. Je considérais qu'après tout j'avais le droit dans un pays qui se prétend démocratique, de m'habiller dans une tenue vestimentaire qui correspond à ma culture arabe. Je décidai de me pencher sur les questions concernant le monde arabe et je m'intéressais surtout et jusqu'à ce jour, à la cause des femmes et au conflit israélo-arabe.

Mais en France, je constatai que très peu de gens sont sensibilisés par la question palestinienne. Les étudiants arabes se complaisent dans des discussions de campus, cela les déculpabilise de leur passivité, à l'égard des solutions à la question palestinienne. De plus, je pensais qu'ils seraient incapables de comprendre ce conflit, parce qu'à mon avis il est, jusqu'à preuve du contraire, impossible de lutter pour la libération du peuple palestinien, et parallèlement de s'arroger le droit d'opprimer le peuple féminin que nous sommes, nous, femmes de ce misérable monde arabe impuissant, à se soulever pour défendre le peuple palestinien, mais puissant, quand il s'agit de réprimer les jeunes immigrés qui rentrent en vacances sur leur terre, soi-disant arabe.

Trois mois en France et pourtant je ne supportais plus le climat français dans lequel l'égoïsme est maître.

J'ai travaillé un peu et je suis repartie en Algérie. Tant de questions se posaient à moi, pourtant les Arabes soi-disant progressistes m'écœuraient. Chaque fois que j'en voyais un, je me disais : « Comment peut-il enfermer sa sœur et donner la main à cette Française, comment peut-il accepter d'une Française qu'elle ne soit pas vierge et quand il s'agit d'une femme arabe, il lui impose la virginité ». Comment est-ce possible qu'ils préparent des troisième cycle en biologie en gardant des conceptions si arriérées, si archaïques, quand il s'agit de sexualité concernant la femme arabe ?...

Oui, je pensais de plus en plus que le monde arabe est une prostituée. Je me disais que tant que la femme arabe et la femme immigrée n'auront pas de place sur leur terre, le monde arabe ploiera sous le poids terrible et conséquent du néo-colonialisme. Comment peuvent-ils, ces « ils » progressistes arabes prêcher des causes, puis coucher avec des femmes et ensuite les traiter de putains, en les montrant du doigt.

Oui, l'impérialisme arabe est sexuel, et la Palestine grâce à mes frères, est devenue une putain qui cherche sa terre. Le « cadi » l'a rejetée quand il a vu le drapeau souillé de sang et les hommes arabes n'ont point voulu reconnaître la femme Palestine. Elle est venue trouée de balles sionistes.

Mais ils n'ont point voulu savoir, les hommes de nos pays, elle n'était plus vierge la femme Palestine le jour des noces, alors ils l'ont exilée. Ainsi, je pense qu'il y a vingt-trois Etats arabes à libérer. La femme et la Palestine sont deux Etats arabes non reconnus. Tant que ces deux nations seront opprimées par les Arabes, je parle des hommes, car tous les gouvernements arabes ne sont composés, en majorité, que d'hommes, la femme n'existant point ou peu politiquement, le monde arabe restera noyé dans l'archaïsme et pourrira, ce qui plaira évidemment à l'Occident et Israël. « Tout ce qui divise les Arabes », a dit Sharon pendant Sabra et Chatila, « unit Israël »... Quand je me mets à donner raison à l'ennemi, la blessure devient interminable.

Si les Palestiniens étaient de couleur noire, est-ce que les Arabes se pencheraient encore sur leur sort ? Je ne le pense pas. Il n'y a rien de plus odieux que le racisme envers les gens de couleur. Les Arabes, en majorité sont racistes avec les gens de couleur. Quand tu sors faire une course, tu entendras souvent « reviens avec un enfant, mais pas un « Qhal » (1).

Oh ! Peuple noir j'aime votre couleur, peuple noir ne vous laissez plus abattre par le racisme d'où qu'il vienne. Peuple noir, oui, je suis Arabe et j'aime votre couleur. Qu'ils me montrent du doigt, je m'en fiche. J'étais retournée en Algérie. Je suis avec Fouzia, et je me dirige en direction du bureau du FPLP. J'ai toujours respecté l'organisation politique palestinienne, FPLP du docteur Habache. En lisant le livre d'une femme militante de cette organisation, Leïla Rhaled, j'ai pu vraiment comprendre pourquoi cette organisation a choisi la lutte armée et non la diplomatie pour régler la question palestinienne. Leïla Rhaled est allée jusqu'à détourner un avion. Cette femme est pour moi héroïque. Le terrorisme, c'est Israël et les grandes puissances, et non des peuples qui se défendent les armes à la main.

J'aime le FPLP, car c'est l'une des seules organisations qui, dans le monde arabe, n'a pas eu peur de parler de lutte de classe. Nous savons que le marxisme est l'idéologie, hantise de tous les régimes arabes. Ils ont peur que les peuples arabes prennent conscience de sa vérité.

Le FPLP, quant à lui, n'a pas hésité à se pencher sur ces questions. Je respecte tout révolutionnaire qui devient marxiste, et je crois que tous les vrais

---

(1) Noir.

révolutionnaires, d'où qu'ils viennent, sont devenus des adeptes du marxisme.

Je voudrais tellement que les Arabes ne connaissent plus de luttes de race, mais des vraies luttes, c'est-à-dire de classe. Un pauvre est un pauvre, un riche est un riche, un exploité est un exploité, un exploiteur est un exploiteur, alors... ?

J'ai remarqué que le bureau du FPLP est caché dans une petite rue. Je suis montée avec Fouzia. Je voulais absolument m'insérer dans une organisation qui défend le peuple palestinien. Je ne parlais pas l'arabe et je n'ai donc pas pu m'expliquer avec eux. J'ai pris des posters, un compte rendu de la situation palestinienne pendant le massacre. Je m'en voulais de ne point parler ma langue, d'être handicapée quand il s'agit de vouloir pénétrer dans une juste cause, qui je pense, est aussi la mienne.

Je repartis en laissant mes coordonnées, espérant, mais quoi donc ?

Je me rendais compte du handicap dont nous, jeunes immigrés souffrons. Nous ne pouvons ni lire la littérature arabe, ni écouter les informations, ni lire un journal en langue arabe, notre langue. J'étais blessée amèrement.

Je conclus que c'est la faute des Français.

J'étais à Alger, je traînais partout et nulle part. Je prenais l'habitude des insultes faites aux femmes immigrées. Je me sentais très seule dans mon pays. J'avais pris conscience qu'il n'y avait rien pour les immigrées non étudiantes, j'avais saisi que l'Algérie ne voulait point de nous, je traînais désabusée. Les mecs arabes que je rencontrais finissaient par tous se ressembler « la femme immigrée, c'est la femme libérée, la pute, l'étrangère ». Je ne comprenais pas pourquoi je m'obstinais à revenir dans un pays qui ne désirait en rien que les jeunes de la deuxième génération retournent sur leur terre.

Poème

Ecrit en 1980,
Après avoir lu les Nouvelles de Palestine de Mahmoud
Darwich,
Après avoir lu Félicia Langer,
Après avoir perçu tous les mots qui ne servent à
rien,
En pensant à Iyyed que je n'ai eu le temps de vrai-
ment connaître,
En pensant à une terre qui ressemble à mon cœur
d'exilée,
Palestine meurtrie,
Palestine trahie,
On refuse ton existence,
on te taillade les veines afin que tout ton sang-peuple
meure,
on te viole,
du côté Arabe et du côté Israël,

Oh ! Palestine meurtrie, je me sens dans ta chair
calcinée,
Oh terre de Palestine mère de la paix,
ils t'ont prostituée,
les Sionistes et les Arabes de la réaction,
Oh ! Palestine je t'aime.

Oh ! Palestine, bouche qu'on a cousue par les
matraques,
terre terrorisée par le terrorisme Israélien,
te voilà cataloguée par l'Occident.
Palestine meurtrie, je t'aime, car je suis exilée comme
toi, enfant du Maghreb, rejetée par les Français et les
Arabes, oh camarade Palestine, je veux un jour te
revoir sur la carte du Monde.

Dédié pour Iyyed. Sakinna pour toi, en 82.

111

24 octobre 1980

Cinq blancs, un noir,
Tu as un ami,
deux amis,
trois amis,
quatre amis,
et le cinquième est là,
Cinq oiseaux que tu vois noirs comme l'Azanie (1),
blancs comme l'Afrique du Sud.
Tu as deux amis, un ami, trois, quatre,
Leurs yeux sont aussi bleus que les berbères,
A peine as-tu pris la bêche, qu'ils t'ont volé ton
maigre gain,
A trois ils t'ont volé,
Mais comme tu es noir et eux blancs, tu paies aux
deux autres le whisky de chez eux.
Tu as peur de n'être point reconnu, en fait t'as peur
d'être seul,
Alors tu t'accroches, on « t'accepte »...
Mais un jour, tu te rends compte que ce sont cinq
flics, cinq colons qui t'emmènent au commissariat de
la rue de Soweto, après tout, t'es qu'un nègre, ils te
boufferont et te laisseront nu devant l'égout de la rue
de Soweto,
Impuissant avec ta solitude, tu chiales dans la rue de
Soweto, et tu regardes tes doigts côte à côte qui
forment un poing noir.

Je viens de connaître un journaliste à la cinéma-
thèque. Voyant que je n'ai pas de logement, il me
propose de me loger. Il me conduisit dans un appartement de fonction dans lequel il vivait seul avec ses
livres. Evidemment, j'ai déballé le paquet. L'immigration, le sexe, la femme, l'Algérie, la France... Avec
toutes les idées progressistes qu'il développait dans

_____
(1) Afrique du Sud pour les Noirs.

un langage très intello, je croyais que le monde arabe allait se retourner.

Il m'avait promis de ne pas m'emmerder. Il jouait des airs de flûte, il chantait des chants patriotiques sur la Palestine. Mais quand vint la nuit tout changea. Il devint aussi sombre que la nuit. « Mais après tout, comprends, t'as pas de chez toi, je mérite bien quelque chose en échange de te loger. T'aimes pas l'amour ? Oh ! ça m'étonnerait ! Les filles arabes elles ne veulent pas de nous, surtout les immigrées, c'est vrai, elles préfèrent les Français, elles sont racistes avec leurs frères. »

Je devais le considérer comme un frère, mais ça ne l'empêchait pas de vouloir me baiser. Alors lui rétorquai-je : « Tu veux baiser ta sœur ? » « Oh ! moi je suis un rationnel, et les immigrées c'est comme les Françaises, ce ne sont pas nos sœurs. »

A trois heures du matin, il voulut après avoir compris qu'il n'y avait rien à faire, me foutre à la porte en me disant « de toute façon t'es au piège, c'est la police ou les hommes de la rue qui te baiseront, alors ne préfères-tu pas un homme honorable comme moi » ?

Je lui ai dit froidement que je pouvais faire l'amour, mais que je n'en avais pas envie. Je lui démontrais que je n'étais pas asexuée. Habituellement les filles arabes prétextent la virginité pour justifier un refus. Moi, je lui ai mis dans les dents qu'il ne me plaisait pas et que je préférais l'homme de la rue, à un faux progressiste qui fait du chantage à trois heures du mat. Finalement il m'a laissée jusqu'au lendemain, mais j'ai dû partir avec ma valise. X., si tu savais, et je pourrais en raconter des centaines, comme celle-là.

En Algérie, ce qui m'horrifiait le plus, c'était de constater amèrement, que la femme est l'ennemie de la femme. La mère transmet l'oppression du père, qui est un mâle, aux enfants, et particulièrement aux filles.

Cependant je ne veux pas dire que les hommes sont épargnés par l'éducation. Au contraire, dès leur plus jeune âge, ils sont inhibés par des tabous et plus tard, c'est-à-dire à l'adolescence, les voilà totalement frustrés par la prétendue éducation traditionnelle, qui joue un très mauvais rôle quant à leur évolution. La femme devient le mal pour eux, ils se méfient d'elle. Ils la nient en tant que femme, la réclament en tant que mère, sœur et assouvissent leurs besoins biologiques qu'ils ne dominent pas sur celle qu'ils appellent la putain, « quahba » en l'accusant d'être à l'origine de ce qui leur répugne, car n'assumant pas leur sexualité, l'ignorant, ils y voient une chose du diable. Le diable, c'est le mal. Le mal, c'est la femme, la Femme avec un grand F.

Le journaliste chez qui j'étais, lui-même était très choqué quand je lui affirmais noblement que je suis une femme sexuée mais qui choisit, qui est responsable de sa sexualité et non la proie de la sexualité, il ne comprenait pas que je ne l'accepte pas, n'ayant tout simplement pas envie de faire l'amour avec n'importe qui, n'importe quand et n'importe où. Je ne me considérais pas comme la ou les gazelles des chansons d'amour arabes, où le mal qui est la femme, est une gazelle « ghazala », tandis que le lion, qui est évidemment le bien, l'homme, baise la gazelle, en la méprisant.

Je pense que ce sont les hommes arabes qui assument beaucoup moins leur sexualité que les femmes arabes. C'est une des raisons qui les conduit à transformer la femme en objet, en propriété privée. C'est parce qu'ils ne nous connaissent pas, nous femmes arabes, qu'ils se méfient de nous, c'est aussi parce qu'ils n'ont pas souvent ou jamais, eu l'idée que la femme a aussi une âme qu'elle peut guider sans eux. Ils pensent que nous sommes la passion, et eux la raison.

Mais dans la rue, qui appelle la femme par « sssss » ou bien par d'autres insultes ? Nous ou eux ? Qui doit se taire et supporter docilement leur état de malades sexuels ? Nous ou eux ? Nous, les femmes. Les mères, non, les sœurs, non, mais les « putains », oui. Les mères et les sœurs non, parce qu'elles ont signé leur pacte d'infériorité en reconnaissant la supériorité de l'homme. C'est pour cela qu'elles contribuent à véhiculer l'oppression qui s'exerce sur la femme dans le monde arabe en surveillant leurs filles, leurs cousines, leurs sœurs. Quand j'étais chez Yamina à Annaba, ou bien à Alger dans une famille, c'est elles qui me disaient : « Attention baisse tes manches, mon mari va venir ». Ou « Attention mets une robe qui cache ta poitrine, peut-être mon père va remarquer ». Elles-mêmes, comme ces « hommes », se méfiaient, mettaient en doute, suspectaient mes comportements face à leurs maris ou pères. C'était là, pour moi, la preuve que la femme algérienne, au lieu d'évoluer, écrase souvent celles qui le veulent, parce qu'elle n'est pas consciente d'être, comme l'homme, un être sexué, de pouvoir jouer un autre rôle que ceux de mère, sœur ou putain et de s'assumer en tant que Femme, tout simplement.

J'étais vraiment devant le réel du désespoir. Heureusement je le prenais en main, et je résistais. Je menais un combat intérieur. A l'extérieur j'arborais un masque de soumission provisoire, juste le temps de connaître la famille algérienne.

Parfois, j'en venais à préférer les putains à nos mères. La situation des putains étant parfois plus enviable. Pourquoi ? Parce que ces femmes se font payer pour se faire violer. Or, nos mères se sont fait violer gratuitement. Qui les a violées. Et bien, ce sont les hommes qu'on appelle si hypocritement nos pères, parce que de ces viols, nous sommes nées. Nos mères, ce sont des prostituées de maison. Nos pères, ce sont leurs patrons. Ils n'exigent d'elles que des devoirs, tel est le sort auquel eux-mêmes sont soumis quand ils sont à l'usine. Leurs patrons n'exigent que de la rentabilité. Nos mères, c'est pareil. Elles doivent être rentables. Les fils, quant à eux, aiment nos mères parce qu'elles les ont mis au monde, leur complexe les conduit à accepter de se plier devant elles. Pourquoi refusent-ils de se plier devant leurs sœurs ? Il n'y a pas de hasard à cela. Dans la rue beaucoup de fils de l'Algérie ont cette phrase à la bouche : « Toutes les femmes sont des putains sauf ma mère ». Ils sifflent dans la rue des femmes, des filles, mais si un homme siffle leur sœur ou leur mère, ils le tueront. Alors qu'eux-mêmes emmerdent des filles ou des femmes, qui elles, sont également des sœurs et des mères d'autres hommes. Quel illogisme, n'est-ce pas ?

Nous sommes dans des sociétés musulmanes faussées, déchirées par le colonialisme, le néo-colonialisme, le peuple arabe nie la moitié de son peuple, alors comment pourrons-nous un jour sortir de cet effroyable trou noir dans lequel les sociétés musulmanes se noient ?

Dans la rue, je voyais l'humiliation à laquelle les prostituées devaient se soumettre. Elles étaient en haik, elles se faisaient reconnaître par des signes, qui révélaient leur « profession ».

Question : un pays qui prêche la religion islamique, qui interdit donc théoriquement la prostitution, et qui pourtant pousse souvent les femmes pauvres à la rue, peut-il, ce pays, être considéré comme en voie de développement ?

L'éducation traditionnelle bourrée de contradictions, de vices, opprime l'être féminin, le monde du travail où la femme ne peut même pas s'imposer, la justice injuste envers les femmes, l'Etat avec un code de la famille anarchique, un pays, l'Algérie, qui après vingt-trois ans d'indépendance refuse indirectement d'accueillir ceux de l'immigration par crainte de l'esprit révolutionnaire qu'elle contient. Tous ces éléments ne nous permettent-ils pas encore de dire que nous sommes dans un pays qui nie tout simplement son indépendance et ses acquis ? Non ? Devons-nous dire, nous, femmes immigrées de « Nationalité :

Immigrée », que nous avons une place sur notre terre algérienne ? Je ne le crois pas.

Un pays ayant une chaîne de télévision qui vous passe des films égyptiens pour vous en foutre plein la vue. Des films à caractère soi-disant amoureux, où l'on voit le prince charmant devant une femme-objet avec des cheveux raides, des yeux de gazelle, des vêtements occidentaux, un confort matériel que les trois quarts de la population algérienne ne pourra jamais posséder, une télévision qui vous met le nez devant de tels films, peut-on la qualifier de socialiste, de populaire, de télévision démocratique ? Allons, allons Messieurs les gouvernants de la République démocratique populaire, ne me faites pas rire.

Un pays qui a une chaîne de télévision qui vous montre des émissions disco et puis, pour terminer le programme pourri de la journée, vous passe démagogiquement, plutôt dirais-je, lâchement, le Coran « El Fatiha » (1). N'est-ce pas une façon de trahir l'innocence et la naïveté de nos pères, de nos mères, de nos sœurs, de nos camarades ?

Souvenirs obscurs dans la République démocratique et populaire algérienne.
Aéroport Houari Boumédienne. Deux heures du matin !

J'avais raconté à une amie de Fouzia qui est devenue une amie à moi, Gussem, mes mauvaises expériences dès mon arrivée en Algérie, quand j'étais à l'aéroport et que j'attendais l'avion pour aller rejoindre Hussein à Tamanrasset. Elle ne me croyait pas et me disait que j'avais dû provoquer pour subir de tels ennuis.

Je te les raconte, cher X., ça vaut la peine, comme

---

(1) L'ouverture.

117

ça si tu vas en Algérie et que tu es femme, tu seras sur tes gardes.

Voilà. Avant d'aller en Algérie, des mecs de l'Amicale des Algériens, enfin je corrige, de l'amicale avec un a minuscule car elle ne mérite pas un a majuscule, m'avaient fait croire qu'en arrivant à Alger, il y a une assistance qui s'occupe des immigrés. Je les avais crus. Mais quand je suis arrivée à midi à l'aéroport d'Alger, il n'y avait rien. Alors j'ai attendu. Je m'étais assise comme les autres passagers sur un banc, il était orange, ce banc. Ce banc algérien... J'ai attendu jusqu'à cinq heures du matin, le temps que l'avion en partance pour Tamanrasset daigne bien venir. A deux heures du matin je me suis fait arrêter par cinq flics. Ils m'accusaient d'avoir couché avec un type dans le jardin. Certes, j'avais discuté avec un jeune immigré qui venait faire l'armée. Ils l'ont tabassé pour l'obliger à dire que c'était vrai, qu'on avait couché ensemble, qu'on avait commis le Haram.

Mais le garçon immigré ne céda pas à leurs menaces. Il était dégoûté. Finalement, ils le relâchèrent, mais moi, ils me gardèrent. Ils me déplacèrent sur une terrasse qui était située derrière la tour de contrôle. Ils essayèrent de me déshabiller. Mais je ne me suis pas laissé faire. Je prétendis que je venais pour suivre le mois de Ramadan. C'était un 22 juin et le Ramadan commençait le 23 juin. Après maintes insistances, je finis par pouvoir dialoguer, grâce à l'un d'eux qui était écœuré de leur comportement. Il venait d'El Esnam, il était soutien de famille. Il me dit que les jeunes policiers étaient très mal payés et sous-considérés par leurs supérieurs hiérarchiques. Il était obligé d'exercer cette fonction, n'en ayant point d'autre et ajoutait que ça lui rapportait 1 800 dinars. Les policiers étaient logés dans des chambres. Un autre, un type agressif, m'informa qu'il venait d'Annaba. Je leur ai dit que nous respections les traditions algériennes, que nous étions fiers, nous, Algériens de

France, de garder notre nationalité. Je leur ai dit aussi que la France maltraite les immigrés. Mais ils jurèrent par tous les noms qu'il valait mieux vivre en France, que l'Algérie c'est pire, pour eux nous étions privilégiés, en France où un pauvre, c'était moins que rien !

Ils finirent par m'appeler respectueusement « sœur » et affirmèrent que j'étais une femme respectable. Mais pourtant, si je ne m'étais pas montrée sûre de moi, si je n'étais pas solide comme le roc, ils m'auraient violée. Ils étaient célibataires, seuls, sans sexualité...

Après avoir quand même été écœurée de leur interpellation que je qualifiais d'arbitraire, je téléphonais au 19, secours. Rien. Je compris que lorsqu'on est en danger, il y a rien pour vous aider. La femme qui se fait arrêter a toujours tort. Personne ne vous donnera raison. Gussem à qui j'ai raconté cette histoire, elle-même pensait que c'était ma faute.

Mais un jour, alors que le copain de Gussem, moi, Hussein et Gussem, logions dans l'appartement que Fouzia nous avait prêté car elle était partie avec son mari adorable Amar, quelqu'un frappa le soir brutalement à la porte. C'était le voisin du dessus qui était douanier. Il avait de nombreuses relations avec la police.

Il demanda à Hussein si Gussem et son copain étaient mariés. Pour moi et Hussein qui est Palestinien ce n'était pas grave, compte tenu que nous étions étrangers. Lui Palestinien, moi, immigrée. Alors il demanda les papiers à Gussem. Elle devait montrer une preuve comme quoi elle était mariée. Elle avait très peur, son père croyant qu'elle dormait chez Fouzia, évidemment sans homme. Il voulut téléphoner à la police des mœurs, mais finalement il accepta que nous restions jusqu'au lendemain. Le lendemain nous dûmes quitter l'appartement de Fouzia et de son époux. Fouzia était scandalisée que dans sa propre demeure, elle n'avait pas le droit de recevoir et alla à son tour remettre très sévèrement le type en place.

Autre mauvaise expérience, celle-là avec Gussem : il y avait une foire à Alger, une foire internationale. Nous y sommes allés, Gussem, moi, son ami et Hussein. Hussein devait retourner à Tamanrasset pour travailler, nous l'accompagnâmes à l'aéroport Houari Boumédienne. Nous attendions dans la voiture l'heure de départ, quand soudain des flics arrivèrent. Ils tournaient autour de la voiture. Ne leur faisant plus confiance, je sentis qu'il se passerait quelque chose.

Quand nous sommes entrées dans l'aéroport, Gussem et moi allâmes aux toilettes car celle-ci avait ses règles. J'apportais une robe de rechange pour Gussem. Le temps que Gussem se changeât, moi, je tenais la porte afin que personne n'entre. Quelqu'un poussa brutalement cette porte, je résistai, croyant que c'était un curieux. Non, c'était un policier avec un uniforme bleu. Il me demanda ce que je faisais là, de quoi j'avais peur. Il vit la robe de Gussem tachée, ainsi il trouva le motif d'arrestation, selon lui Gussem venait d'avoir une relation sexuelle dans les toilettes, c'est pour cela que moi, avait-il déclaré, je tenais la porte, le temps que l'acte fût fini. Gussem qui n'avait jamais eu de relation sexuelle ne pouvait croire qu'elle était accusée d'une telle chose. Il nous conduisit, moi, Gussem, Hussein et l'ami de Gussem au commissariat de police. Ils prirent nos noms, pour nous ficher. Gussem pleurait, suppliait, car ils avaient l'intention de faire venir ses parents. Celle-ci avait à ce jour 28 ans. Cela ne comptait pas. Quant à Hussein, ce fut la menace d'expulsion. Lui qui est Palestinien, où allait-il aller ? Quant à moi, ils me menacèrent de brûler ma carte de résidence pour ne plus me laisser partir en France. Après avoir parlementé pendant un temps long, ils laissèrent Hussein prendre l'avion. Puis ils demandèrent nos professions. Le copain de

Gussem était sociologue, Gussem professeur, et elle faisait une thèse en géographie, moi je fis semblant d'étudier en France. Impressionnés, ils nous libérèrent. Nous avions peur. Nous étions, Gussem, moi et son copain, obligés d'attendre le jour dans la voiture, parce qu'il n'y a aucun lieu de répit en Algérie à l'exception des hôtels. Mais aller dans un hôtel était impossible car un Algérien, avec deux femmes non mariées, ça risquait trop.

Gussem était écœurée, nous riions nerveusement de cette expérience, il a fallu ce fait pour qu'elle crut ce que je lui avais raconté. Elle me disait : « Maintenant je te crois sur parole » et moi, de lui répondre « Veux-tu qu'on retourne à l'aéroport » ? Ainsi, nos institutions algériennes, s'accaparent du corps des femmes et des hommes.

Poème écris en 1980

Maintenant qu'on m'a tout pris,
Maintenant que je n'ai plus rien,
Dois-je être condamnée ou dois-je crier ?
Le silence ?
La parole ?
Je ne sais plus,
Immigrée n'ayant pour Pays que l'exil,

Dois-je prendre la valise et m'envoler vers un autre ciel que la France ?
Mais pourquoi partir, je retrouverai toujours cette sombre vie partout
Le sombre n'a pas de frontière, il passe partout.
Je ne sais plus,
Immigrée, n'ayant pour Pays que l'exil.

Je m'ennuie comme un rat mort,
Je porte sur carapace, le chômage,
la solitude et l'ennui, j'ai 21 ans.

Je suis vieille à 21 ans et j'ai peur.
De l'Iran jusqu'en Palestine il pleut des bombes sur
nos frères.
En France les rafles anti-bougnoules continuent, et
moi, je ne sais plus,
Immigrée n'ayant pour pays que l'exil.

Je ne veux pas mourir dans ce pays, ou si je dois
mourir,
je voudrais avoir des mains libres, ne plus être dans
le pays de l'exil.

Trois semaines après cette maudite histoire, je
suis repartie au Sahara. Hussein me traitait comme
une bête. Il prétendait être progressiste, mais vis-à-
vis de la femme il avait plein de contradictions. Une
femme si ce n'était pas sa sœur, c'était fait pour
baiser. J'étais écœurée d'une relation aussi minable (je
ne sais trop la définir, mais je n'étais plus un individu avec un Palestinien qui jouait le progressiste, un
adepte du docteur Habache (1)). Je changeais de lieu,
ne supportais plus d'habiter clandestinement. J'ai
trouvé un travail de secrétaire. J'avais deux amis
Bahiya et Lazhar, un homme pas comme les autres.
Il assumait sa relation avec Bahiya ; Hussein, lui, me
méprisait et n'assumait pas sa relation avec moi.
Premier jour dans l'entreprise et déjà le patron
essayait de me distinguer des autres filles. J'étais
immigrée, pas Arabe. Il me proposait du whisky,
rigolait ouvertement... Je n'aimais pas cette distinc-
tion. Alors je mis un tchador pour faire croire que
j'étais très musulmane. Je me comportais comme une
pierre, je faisais avec les hommes pire qu'une musulmane, je ne serrais plus la main, ne les regardais pas.
Je me censurais volontairement pensant qu'enfin ils
me foutraient la paix. Certes la paix, je l'avais. Je
ne desserrais pas les dents et finis par tomber dans
le mutisme. Je ne pouvais plus communiquer avec

---

(1) Docteur Habache, dirigeant FPLP.

l'homme. Quand j'essayais de parler, je ne pouvais pas. Un grand vide m'empêchait. J'étais trop écœurée. Hussein avait été un espoir, mais quand il m'eut pris pour moins qu'un animal, je n'ai plus cru à rien. Ni à l'homme, ni à la cause palestinienne, à rien...

Je ne mangeais plus, je vivais de médicaments, je fumais et buvais du café. Je pénétrais lentement mais sûrement dans le monde de la folie. Un ami de Hussein, Iyyed me conseilla de partir. Je l'aimais beaucoup. Il avait une pratique politique, son choix était porté sur Naoual Saadaoui, il croyait sincèrement en la liberté de la femme. Avec lui, j'ai repris courage. Je décidai de partir, de tout laisser pour cette fois-ci, de mettre une croix sur l'Algérie. Trop d'interdits...

Poème écris en 1980

Pas de terre pour les femmes immigrées...

Nous n'avons pas de terre,
Nulle part.
Déjà soumises de la naissance jusqu'à la mort,
nous n'avons rien eu, rien vu
le seul droit que nous offrent nos pères, nos frères,
nos oncles,
c'est celui de se taire.

Pas de terre pour les femmes immigrées que nous sommes.

Quand la femme sera un jour reconnue, la lutte pour le nouveau jour commencera,
Oh mes frères de ce monde arabe clos, écoutez le cri de la femme immigrée
Notre silence est parlant, celui que vous croyiez silencieux pour l'éternité, les volcans qui dorment, un jour, se soulèvent...

Ce silence que vous ne voulez point entendre, Messieurs les Arabes, c'est celui de vos sœurs immigrées, de vos camarades qui ont tant combattu. Celui aussi des femmes comme notre Dallal Moghrabi ou notre Leila Rhaled. N'a-t-il pas dit « que le droit de vivre ne se mendie pas, mais se prend ».

Pas de terre pour les femmes immigrées que nous sommes.

Oh ! mes frères Arabes, entendez le cri des prisons que nous sommes, nous briserons les barrières de ces prisons tabous dans lesquelles vos préjugés nous tuent, nous briserons les chaînes du tais-toi et obéis, nous les femmes arabes, immigrées.

Nous nous libérons sexuellement pour enfin nous libérer politiquement, nous n'avons plus peur de l'oppression, sans ou avec une terre, nous lutterons jusqu'au martyr pour être libres.

Une terre pour les femmes immigrées, mais une terre démocratique et libre.

Je n'avais plus le choix, n'ayant aucun statut dans mon pays l'Algérie. Les employées de bureau, les secrétaires ne sont pas considérées en Algérie. Elles sont prises pour des moins que rien par leurs supérieurs hiérarchiques. Sous-payées, elles doivent se contenter de taper aveuglément des textes toute la journée pour 1 200 dinars par mois. Au Sahara, j'étais payée un peu plus en raison du déplacement : Alger - Tamanrasset = 2 000 km.

Je ne pouvais accepter d'être subalterne, de supporter ces conditions psychologiques dans lesquelles on m'obligeait à travailler, à la merci des directeurs. Certains directeurs d'autres entreprises ne se gênaient pas pour m'apporter du travail, et je ne pouvais rien dire, je n'avais pas le droit de contestation vu que je n'avais pas un diplôme élevé. L'abus de pouvoir des directeurs et autres supérieurs à l'égard des travailleurs me dégoûtait. Les Touaregs étaient victimes de ces abus. Ils ne pouvaient qu'exercer le métier de chauffeur ou gardien de portes, leur tenue liée à leur culture gênait. De plus leur couleur de peau noire, n'était pas bien vue. Je constatais alors que le racisme est partout et je comprenais de mieux en mieux le sens exact de ce terme.

J'essayais de résister pour pouvoir vivre en Algérie mais ce n'était plus possible. Je me disais que je devrais retourner en France préparer une arme, le diplôme, afin de pouvoir être mieux reconnue. Bahiya qui était sociologue, elle, touchait 5 000 dinars et le directeur n'osait pas la maltraiter parce que son diplôme lui permettait de s'imposer. Une femme de ménage, une secrétaire, en Algérie ne sont pas reconnues comme des êtres humains égaux à ceux qui possèdent des diplômes. Pourtant je suis dans une patrie qui se prétend proche du socialisme.

J'avais comme un sentiment de honte, d'humiliation à l'idée d'être condamnée à retourner en France.

Algérie-France, France-Algérie, Algérie-France. Voilà comment se termina le jeu que je menais, la balle de ping-pong était tombée sur le territoire de France.

Je pris un billet d'avion Tamanrasset-Alger. Je m'approchais déjà de la France. Je me sentais angoissée car au fond je savais que mes racines, c'est l'Algérie et non la France du colonialisme que, nous immigrés, subissons à l'heure actuelle. Rentrer en France oui, mais pourquoi, me disais-je mille et une fois. Pour aller refaire des ménages chez les orientalistes de gauche, retraîner dans les cafés pour bavarder inutilement avec les bons étudiants de gauche, je souffrais et la peur du retour me brisait le cœur.

Je savais que j'étais pleine de contradictions : parfois je me consolais en me disant : « Au moins en

France tu ne te fais pas emmerder tout le temps par les flics, les mecs, bon, t'as à faire aux racistes, mais ceux-là tu peux les éviter, etc. En France il y a les pubs, les boîtes de nuit, les magasins », mais je savais aussi qu'à part ça, il n'y a rien d'intéressant. Le terrain pour les luttes n'est pas favorable car il s'arrête à la théorie.

Je pris l'avion, épuisée par mes pensées, je me considérais désormais comme exilée, j'avais l'intention de demander l'asile politique, pensant que j'avais ce droit puisque l'Algérie ne me reconnaît ni comme Algérienne, ni comme femme. Illusion, certes, mais combien véridique. Pourquoi n'aurait-on pas, nous femmes immigrées, le droit à la protection, le droit à l'asile puisque nos patries arabes ne nous reconnaissent plus ? Pourquoi sommes-nous obligées de prendre des papiers français ? Nous pouvons dire, nous sommes de « Nationalité : Immigré(e) ». Ni Français, ni Arabes, nous sommes l'exil, nous avons une identité non reconnue, luttons pour la réobtenir, ne nous laissons plus faire par les Arabes et par les Français. « Nationalité immigrée », je rentrais en France avec ce nouveau passeport tamponné par l'Algérie et par la France. J'étais fière d'être restée femme et non sœur, mère ou putain...

Femme arabe, on m'a condamnée à perpétuité, car j'ai franchi le chemin de la liberté, on m'a répudiée, maintenant me voilà immigrée sur le chemin de l'exil, identité de femme non reconnue je cours le monde pour savoir d'où je viens.

Sakinna 1985

Achevé d'imprimer par Corlet Numérique - 14110 Condé-sur-Noireau
N° d'Imprimeur : 37294-8 - Dépôt légal : janvier 2007 - *Imprimé en France*